『日本改造法案大綱』1923年改造社刊。巻頭部分（本文12ページ参照）

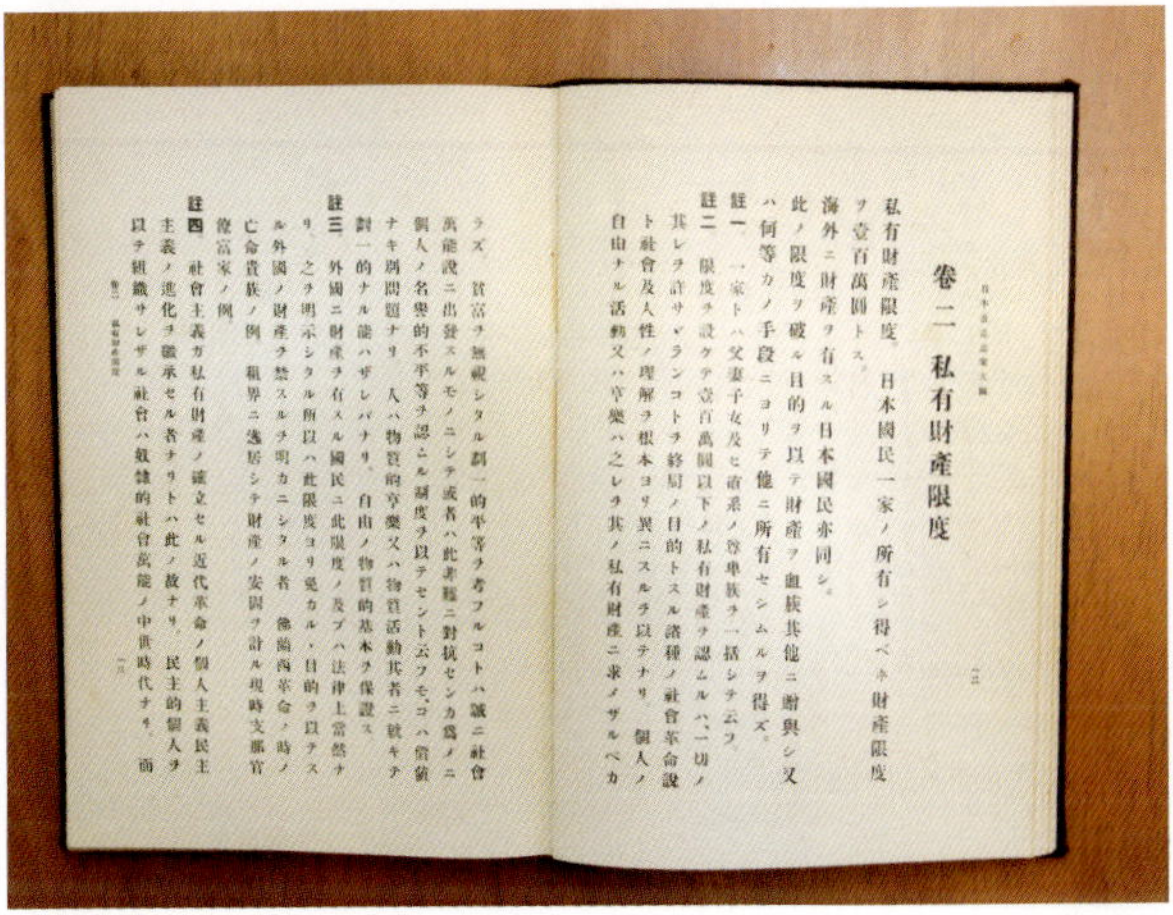

同。「巻二　私有財産制度」の箇所（本文27～28ページ参照）

東京都・滝泉寺（目黒不動尊）にある北一輝の墓（左）と、大川周明記銘による「北一輝先生碑文」。碑文に曰く「歴史は北一輝君を革命家として伝えるであろう。然し革命とは順逆不二の法門、その理論は不立文字なりとせる。北君は決して世の常の革命家ではない。君の後半生二十有余年は法華経誦持の宗教活であった。一てに幼少より煥発せる豊麗多彩なる諸の才能を深く内封して、唯だ大音声の読経によって一心不乱に慈悲折状の本願成就をし、専つ其門を叩く一個半個の説得に心を籠めた。北君は尋常人間界の主を超越して、仏魔一如の世界を融通無礙に往来して居たので、その文章も説話も総て精神全体の渾然たる表現であった。それ故に之を聴く者は魂の全体を挙げて共鳴した。かくして北君は生前も死後も一貫して正に不朽であろう。昭和三十三年八月　大川周明撰」（新仮名遣いに改め適宜句読点を補った）

中公文庫

日本改造法案大綱

北　一輝

中央公論新社

目次

緒言 6
凡例 9
巻一 国民の天皇 12
巻二 私有財産限度 27
巻三 土地処分三則 35
巻四 大資本の国家統一 45
巻五 労働者の権利 60

巻六　国民の生活権利　70
巻七　朝鮮その他現在及び将来の領土の改造方針　93
巻八　国家の権利　109
結　言　133
〈附録〉対外国策に関する建白書　140
解　説　嘉戸一将　157

本文中の〔　〕内及び＊の註は中公文庫編集部による。

日本改造法案大綱

緒言

今や大日本帝国は内憂外患並び到らんとする有史未曽有の国難に臨《のぞ》めり。国民の大多数は生活の不安に襲われて一に欧洲諸国破壊の跡を学ばんとし、政権軍権財権を私《わたくし》せる者はただ竜袖*1に陰《かく》れて惶々《こうこう》その不義を維持せんとす。しかして外、英米独露ことごとく信を傷《きずつ》けざるものなく、日露戦争を以《もっ》てようやく保全を与えたる隣邦支那すら酬ゆるにかえって排侮を以てす。真に東海粟島《ぞくとう》*2の孤立。一歩を誤《あやま》らば宗祖の建国を一空せしめ危機まことに幕末維新の内憂外患を再現し来《きた》れり。

ただ天佑《てんゆう》六千万同胞の上に炳《へい》*3たり。日本国民はすべからく国家存立の大義と国民平等の人権とに深甚なる理解を把握し、内外思想の清濁《せいだく》を判別採捨するに一点の過誤なかるべし。欧洲諸国の大戦[*4]は天その驕侈乱倫《きょうしらんりん》を罰するに「ノア」の洪水を以てしたるもの。大破壊の後に狂乱狼狽する者に完備せる建築図を求むべからざるはもちろんの事、これと相反して、我が日本は彼において破壊の五ヶ年を充実の五ヶ年として恵まれたり。彼は再建を云うべく我は改造に進むべし。全日本国民は心をひややかにして天の賞罰かくのごとく異なる所以の根本より考察して、いかに大日本帝国を改造すべきかの大本を確立し、挙国一人の非議なき国論を定め、全日本国民の大同団結を以て、つい終《つい》に天皇大権の発動を奏請し、天皇を奉じて速《すみや》かに国家改造の根基を完《まっと》うせざるべからず。

支那印度《インド》七億の同胞は実に我が扶導擁護《ふどうようご》を外にして自立の途《みち》なし。我が日本また五十年間に二倍せし人口増加率によりて百年後少くも二億四五千万人を養うべき大領土を余儀なくせらる。国家の百年は一人の百日に等し。この余儀なき明日を憂《うれ》い彼《か》の凄惨たる隣邦を悲しむ者、如何《いかん》ぞ直訳社会主義者流の巾幗《きんか》[*5]的平和論に安《やす》んずるを得《う》べき。階級闘争による社会進化はあえてこれを否《いな》まず。しかも人類歴史ありて以来の民族競争国家競争に眼を蔽《おお》いて何のいわゆる科学的ぞ。欧米革命論の権威等ことごとくその浅薄皮相の哲学に立脚して終《つい》に「剣の福音」*6を悟得する能わざる時、高遠なる亜細亜《アジア》文明の希臘《ギリシャ》は率先それ自らの精神に築かれたる国家改造を終るとともに、亜細亜聯盟の義旗を翻《ひるがえ》して真個到来すべき世界聯邦の牛耳を把《と》り、以て四海同胞皆これ仏子の天道を宣布して東西にその範《はん》を垂《た》るべし。国家の武装を忌む者のごときその智見終《つい》に幼童の類のみ。

【編集部註】

＊1　中国の天子の衣の袖。ここでは、天皇の威光に隠れて権勢をほしいままにすること。

＊2　日本のこと。

＊3　光り輝くこと。

＊4　第一次世界大戦。

＊5　巾幗は女性の髪飾り。「巾幗的」は「女性的」の意。

＊6　新約聖書「マタイによる福音書」第二十六章五十二節のイエスの言葉「剣を取る者は皆、剣で滅びる」による。

凡例

一。この改造法案は世界大戦終了の後、大正八年八月上海において起草せる者なり。「極秘」を印し謄写に附していまだ公刊に至らざる時、九年一月発売頒布《はんぷ》を禁ぜらる[*1]。書中「何行削除」とあるは今回の公刊に際し官憲の削除したる所、行数は謄写本の行数なり。

二。もとより削除せられたる一行一句といえども日本の法律に違反せる文字にあらざるは論なし。恐《おそら》くは単なる行政上の目的に出《い》でしと信ず。従って何らか不穏矯激《ふおんきょうげき》なる者の伏在せるかに感じて草案者に質問照会する等のなからむことを望む。二三枝を折るも大樹は損傷さるることなし。

三。奈翁〔ナポレオン〕戦争が十八世紀と十九世紀とを劃《かく》せるごとく、十九世紀の終焉二十世紀の初頭は真に世界大戦の一大段落を以《もっ》て限らるべし。（世紀の更新を十進数に依りて思考すべからず）。天の命、二十世紀の第一年を以てこの法案を起草せしめたるを拝謝す。従って前世紀に続出したる旧き哲人らの誤謬《ごびゅう》多き革命理論を準縄《じゅんじょう》*2としてこの法案を批判する者を歓《よろこ》ぶ能わず。時代錯誤とはこれなり。昔者《むかし》娘をしてその母に背《そむ》かしめんがために来《きた》れりと云える者あり。*3 二十世紀に命じて十九世紀に背くを禁ずる革命論の多きを不審なりとす。

四。「註」はもとより説明解釈を目的とせるも、語辞ことごとく簡単明瞭、時にはただ結論のみを綴《つづ》りし者あり。第二十世紀の人類は聡明と情意を増進して「然《しか》り然り」「否《い》な否な」にて足《た》る者ならざるべからず。現代世界を展開せしめたる三大発明の中火薬が人類を殺すよりも甚《はなはだ》しく、印刷術の害毒全世界の頭脳を朽蝕腐爛《きゅうしょくふらん》し尽《つ》くせり。ために簡明なる一事一物をも迂漫《うまん》なる愚論なくして解悟する能わざる稚態《ちたい》*4は阿片中毒者と語るごとし。日本改造法案の起草者は当然に革命的大帝国建設の一実行者たらざるを得《え》ず。従ってそれが左傾するにせよ右傾するにせよ前世紀的頭脳よりする是非善悪に対して応答を免除されんことを期《き》す。恐らくは閑暇なし。

大正十二年五月　　　北　一輝

【編集部註】

＊1　大正八年に発禁処分となった『国家改造案原理大綱』のこと。

＊2　手本の意。

＊3　新約聖書「マタイによる福音書」第十章三十四〜三十五節のイエスの言葉「わたしが来たのは地上に平和をもたらすためだ、と思ってはならない。平和ではなく、剣をもたらすために来たのだ。わたしは敵対させるために来たからである。人をその父に、娘を母に、嫁をしゅうとめに」による（「ルカによる福音書」第十二章四十九〜五十三節にも同様の記述あり）。

＊4　幼稚なさま。

巻一　国民の天皇

（三行削除[*1]）

註一。（十一行削除[*2]）

註二。（八行削除[*3]）

註三。（五行削除[*4]）

註四。（七行削除[*5]）

【編集部註／〔　〕内は編集部で補う。以下同】

＊1　「憲法停止——天皇は全日本国民とともに国家改造の根基を定めんがために天皇

大権の発動によりて三年間憲法を停止し両院を解散し全国に戒厳令を布く」（『国家改造案原理大綱』で補う／凡例編集部註＊1参照）

＊2 「権力が非常の場合有害なる言論または投票を無視し得るは論なし。いかなる憲法をも議会をも絶対視するは英米の教権的デモクラシーの直訳なり。これデモクラシーの本面目を蔽う保守頑迷の者。その笑うべき程度において日本の国体を説明するに高天ケ原的論法を以てする者あると同じ。

海軍拡張案の討議において東郷〔平八郎〕大将の一票が醜悪代議士の三票より価値なく、社会政策の採決においてカルルマルクスの一票が大倉喜八〔郎〕らの七票より不義なりと言う能わず。由来投票政治は数に絶対価値を附して質がそれ以上に価値を認めらるべき者なるを無視したる旧時代の制度を伝統的に維持せるに過ぎず」（同）

＊3 「クーデターを保守専制のための権力濫用と速断する者は歴史を無視する者なり。奈翁〔ナポレオン〕が保守的分子と妥協せざりし純革命的時代においてしたるクーデターは議会と新聞の大多数が王朝政治を復活せんとする分子に満ちたるを以て革命遂行の唯一道程として行いたる者。また現時露国革命においてレニン〔レーニン〕が機関銃を向けて妨害的勢力の充満する議会を解散したる事例

に見るもクーデターを保守的権力者の所為と考うるは甚だしき俗見なり」(同)

*4　「クーデターは国家権力すなわち社会意志の直接的発動と見るべし。その進歩的なる者に就きて見るも国民の団集その者に現わるることあり。奈翁レニンのごとき政権者によりて現わるることあり。日本の改造においては必ず国民の団集と元首との合体による権力発動たらざるべからず」(同)

*5　「両院を解散するの必要はそれに拠る貴族と富豪階級がこの改造決行において天皇及び国民と両立せざるを以てなり。憲法を停止するの必要は彼らがその保護をまさに一掃せんとする現行法律に求むるを以てなり。戒厳令を布く必要は彼らの反抗的行動を弾圧するにもっとも拘束されざる国家の自由を要するを以てなり。しかして無智半解の革命論を直訳してこの改造を妨ぐる言動をなす者の弾圧をも含む」(同)

天皇の原義。天皇は国民の総代表たり、国家の根柱たるの原理主義を明《あきら》かにす。

(四行削除)*6

(二行削除)*7

（三行削除＊8）

＊6　「この理義を明かにせんがために神武国祖の創業明治大帝の革命に則りて宮中の一新を図り、現時の枢密顧問官その他の官吏を罷免し、以て天皇を補佐し得べき器を広く天下に求む」（『国家改造案原理大綱』で補う）

＊7　「天皇を補佐すべき顧問院を設く。顧問院議員は天皇に任命せられその人員を五十名とす」（同）

＊8　「顧問院議員は内閣会議の決議及び議会の不信任決議に対して天皇に辞表を捧呈すべし。ただし内閣及び議会に対して責任を負う者にあらず」（同）

註一。日本の国体は三段の進化をなせるを以《もっ》て天皇の意義また三段の進化をなせり。第一期は藤原氏より平氏の過渡期に至る専制君主国時代なり。この間理論上天皇は凡《すべ》ての土地と人民とを私有財産として所有し生殺与奪の権を有したり。第二期は源氏より徳川氏に至るまでの貴族国時代なり。この間は各地の群雄または諸侯がおのおのその範囲において土地と人民とを私有しその上に君臨したる幾多の小国家小君主として交戦し聯盟したる者なり。従って天皇は第一期の意義に代うるに、これら小君主の盟主たる幕府に光栄を加冠する羅馬《ローマ》法王として、国民信仰の伝統的中心としての意義を以てしたり。この進化は欧洲中世史の諸侯国神聖皇帝羅馬法王と符節を合するごとし。第三期は武士と人民との人格的覚醒によりておのおのその君主たる将軍または諸侯の私有より解放されんとしたる維新革命に始まれる民主国時代なり。この時よりの天皇は純然たる政治的中心の意義を有し、この国民運動の指揮者たりし以来現代民主国の総代表として国家を代表する者なり。すなわち維新革命以来の日本は天皇を政治的中心としたる近代的民主国なり。何《なん》ぞ我に乏《とぼ》しき者なるかのごとく彼《か》の「デモクラシー」の直訳輸入の要あらんや。この歴史と現代とを理解せざる頑迷国体論者と欧米崇拝者との争闘は実に非常なる不祥を天皇と国民との間に爆発せしむる者なり。両者の救うべからざる迷妄《めいもう》を戒《いま》しむ。

註二。国民の総代者が投票当選者たる制度の国家が或《あ》る特異なる一人たる制度の国より優越なりと考うる「デモクラシー」はまったく科学的根拠なし。

国家はおのおのその国民精神と建国歴史を異にす。民国八年までの支那が前者たる理由によりて後者たる白耳義《ベルギー》より合理的なりと言う能わず。米人の「デモクラシー」とは社会は個人の自由意志による自由契約に成ると云いし当時の幼稚極《きわ》まる時代思想によりて、おのおの欧洲本国より離脱したる個々人が村落的結合をなして国を建てたる者なり。その投票神権説は当時の帝王神権説を反対方面より表現したる低能哲学なり。日本はかかる建国にもあらず、またかかる低能哲学に支配されたる時代もなし。国家の元首が売名的多弁を弄《ろう》し下級俳優のごとき身振を晒《さら》して当選を争う制度は、沈黙は金なりを信条とし謙遜《けんそん》の美徳を教養せられたる日本民族にとりては一に奇異なる風俗として傍観すれば足る。

註三。現時の宮中は中世的弊習を復活したる上に欧洲の皇室に残存せる別個のそれらを加えて、実に国祖建国の精神たる平等の国民の上の総司令者を遠ざかること甚《はなはだ》し。明治大帝の革命はこの精神を再現して近代化せる者。従って同時に宮中の廓清《かくせい》*9を決行したり。これを再びする必要は国家組織を根本的に改造する時独り宮中の建築をのみ傾柱壊壁のままに委《い》する能わざればなり。

註四。(五行削除[*10])

＊9　悪いものを取り除くこと。

＊10「顧問院議員が内閣または議会の決議によりて弾劾せらるる制度の必要は天皇の補佐を任とする理由によりて専恣を働く者多き現状に鑑みてなり。枢密院諸氏の頑迷と専横は革命前の露国宮廷と大差なし。天皇を累する者は凡てこの徒なり」(『国家改造案原理大綱』で補う)

華族制廃止。華族制を廃止し、天皇と国民とを阻隔し来《きた》れる藩屏《はんぺい》を撤去して明治維新の精神を明《あきらか》にす。

貴族院を廃止して審議院を置き衆議院の決議を審議せしむ。

審議院は一回を限りとして衆議院の決議を拒否するを得《う》。

審議院議員は各種の勲功者間の互選及び勅選による。

註一。貴族政治を覆滅したる維新革命は徹底的に遂行せられて貴族の領地をも解決したること、当時の一仏国を例外としたる欧洲の各国が依然中世的領土を処分する能わざりしよりも百歩を進めたるものなりき。然《しか》るに大西郷ら革命精神の体現者世を去るとともに単に附随的に行動したる伊藤博文らは、進みたる我を解せずして後《おく》れたる彼らの貴族的中世的特権の残存せるものを模倣して輸入したり。華族制を廃止するは欧洲の直訳制度を棄てて維新革命の本来に返《か》える者。我の短所なりと考えて新なる長を学ぶ者と速断すべからず。すでに彼らのある者より進みたる民主国なり。

註二。二院制の一院制より過誤少なき所以《ゆえん》は輿論が甚だ多くの場合において感情的雷同的瞬間的なるを以てなり。上院が中世的遺物を以てせず各方面の勲功者を以て組織せらるる所以。

普通選挙。二十五歳以上の男子は大日本国民たる権利において平等普通に衆議院議員の被選挙権及び選挙権を有す。地方自治会またこれに同じ。

女子は参政権を有せず。

註一。納税資格が選挙権の有無を決する各国の制度は、議会の濫觴《らんしょう》*11が皇家の徴税に対してその費途を監視せんとしたる英国に発すといえども、日本国自身の原則としては国民たる権利の上に立てざるべからず。すなわちいかなる国民も間接税の負担者ならざるはなしと云う納税資格の拡張せられたる普通選挙の義にあらず。徴兵が「国民の義務」なりと云う意義において選挙は「国民の権利」なり。

註二。国家を防護する国民の義務は国政を共治する国民の権利と一個不可分の者なり。日本国民たる人権の本質において、羅馬の奴隷のごとく、また昇殿をも許されざる王朝時代の犬馬のごとく、純乎《じゅんこ》たる被治者として或《あ》る治者階級の命令の下にその生死を委すべき理《ことわり》なし。この権利とこの義務とは一切の条件に依《よ》りて干犯《かんぱん》さるることを許さず。従って仮令《たとい》国外出征中の現役将卒といえども何らの制限無く投票しかつ投票せらるべし。

註三。女子の参政権を有せずと明示せる所以《ゆえん》は日本現存の女子が覚醒に至らず眷顧《けんこ》＊12と云う意味にあらず。欧洲の中世史における騎士が婦人を崇拝しその眷顧を全《まっと》うするを士の礼とせるに反し、日本中世史の武士は婦人の人格を彼と同一程度に尊重しつつ婦人の側《がわ》より男子を崇拝し男子の眷顧を全うするを婦道とする礼に発達し来《きた》れり。この全然正反対なる発達は社会生活の凡《すべ》てにおける分科的発達となりて近代史に連《つら》なり、彼において婦人参政運動となれるは我において良妻賢母主義となれり。政治は人生の活動における一小部分なり。国民の母、国民の妻たる権利を擁護し得《う》る制度の改造をなさば日本の婦人問題の凡ては解決せらる。婦人を口舌《こうぜつ》の闘争に慣習せしむるはその天性を残賊することこれを戦場に用《もち》ゆるよりも甚《はなは》だし。欧米婦人の愚昧《ぐまい》なる多弁、支那婦人間の強奸なる口論を見たる者は日本婦人の正道に発達しつつあるに感謝せん。善き傾向に発達したる者は悪しき発達の者をして学ばしむる所あるべし。このゆえに現代を以て東西文明の融合時代と云う。直訳の醜は特に婦人参政権問題に見る。（「国民の生活権利」参照）。

＊11　はじまり。起源。

*12　好意を持たれること。贔屓されること。

国民自由の恢復。従来国民の自由を拘束して憲法の精神を毀損《きそん》せる諸法律を廃止す。文官任用令。治安警察法。新聞紙条例。出版法等《とう》。

註一。周知の道理。ただ各種閥族等の維持に努むるのみ。

（三行削除[*13]）

（二行削除[*14]）

（二行削除[*15]）

註一。（八行削除[*16]）

（二行削除[*17]）

（二行削除*18）

註一。（三行削除*19）

註二。（三行削除*20）

註三。（六行削除*21）

註四。（六行削除*22）

（二行削除*23）

（二行削除*24）

註。（四行削除*25）

＊13　「国家改造内閣——戒厳令施行中現時の各省の外に下掲の生産的各省を設け、さらに無任所大臣数名を置きて国家改造内閣を組織す」（『国家改造案原理大綱』で補う）

＊14「改造内閣員は従来の軍閥吏閥財閥党閥の人々を斥けて全国民より広く偉器を選びてこの任に当らしむ」（同）

＊15「各地方長官を一律に罷免し国家改造知事を任命す。選任の方針右に同じ」（同）

＊16「徳川の君臣を以て維新革命をなす能わざる同一理由。

ただし革命は必ずしも流血の多少によりて価値を決するものにあらず。あたかも外科手術において出血の多量なる理由を以て少量なる者を不徹底なりと云う能わざるごとし。要は手術者の力量と手術せらるべき患者の体質如何にあり。現時の日本は充実強健なる壮者なり。露西亜《ロシア》支那のごときは全身腐肉朽骨の老廃患者なり。古今を達観し東西に卓出せば手術者あらば日本の改造のごとき談笑の間に成るべし」（同）

＊17「国家改造議会――戒厳令施行中普通選挙による国家改造議会を召集し改造を協議せしむ」（同）

＊18「天皇は第三期改造議会までに憲法改正案を提出して改正憲法の発布と同時に改造議会を解散す」（同）

＊19「これ国民が本隊にして天皇が号令者なる所以。権力濫用のクーデターにあらずして国民とともに国家の意志を発動する所以」（同）

＊20 「これ法理論にあらずして事実論なり。露独の皇帝もかかる権限を有すべしと云う学究談論にあらずして日本天皇陛下にのみ期待する国民の神格的信任なり」(同)

＊21 「現時の資本万能官僚専制の間に普通選挙のみを行うも選出さるる議員の多数または少数は改造に反対する者及び反対する者より選挙費を得たる当選者なるを以てなり。ただし戒厳令中の議会選挙たり議員開会なるを以て有害なる候補者または議員の権利を停止すべきを得るは論なし」(同)

＊22 「かかる神格者を天皇としたることのみによりて維新革命は仏国革命よりも悲惨と動乱なくしてしかも徹底的に成就したり。再びかかる神格的天皇によりて日本の国家改造は露西亜革命の虐殺兵乱なく独乙《ドイツ》革命の痴鈍なる徐行を経過せずして整然たる秩序の下に貫徹すべし」(同)

＊23 「皇室財産の国家下附——天皇は親《みずか》ら範を示して皇室所有の土地山林株券等を国家に下附す」(同)

＊24 「皇室費を年額三千万円とし国庫より支出せしむ。ただし時勢の必要に応じ議会の協賛を経て増額することを得」(同)

＊25 「現時の皇室財産は徳川氏のそれを継承せることに始まりて天皇の原義に照らす

もかかる中世的財政を取るは矛盾なり。

国民の天皇はその経済またことごとく国家の負担たるは自明の理なり」（同）

巻二　私有財産限度

私有財産限度。日本国民一家の所有し得《う》べき財産限度を一百万円とす。
海外に財産を有する日本国民また同じ。
この限度を破る目的を以《もっ》て財産を血族その他に贈与しまたは何らかの手段によりて他に所有せしむるを得《え》ず。

註一。一家とは父妻子女及び直系の尊卑族を一括して云う。

註二。限度を設けて一百万円以下の私有財産を認むるは、一切のそれを許さざらんことを終局の目的とする諸種の社会革命説と社会及び人性の理解を根本より異にするを以てなり。個人の自由なる活動または享楽はこれをその私有財産に求めざるべからず。貧富を無視したる画一的平等を考うることはまことに社会万能説に出発するものにして、ある者はこの非難に対抗せんがために個人の名誉的不平等を認むる制度を以てせんと云うも、こは価値なき別問題なり。人は物質的享楽または物質活動そのものに就《つ》きて画一的なる能わざればなり。自由の物質的基本を保証す。

註三。外国に財産を有する国民にこの限度の及ぶは法律上当然なり。これを明示したる所以はこの限度より免《まぬ》がるる目的を以てする外国の財産を禁ずるを明《あきら》かにしたる者。仏蘭西《フランス》革命の時の亡命貴族の例。租界に逃居して財産の安固を計る現時支那官僚富家の例。

註四。社会主義が私有財産の確立せる近代革命の個人主義民主主義の進化を継承せる者なりとはこのゆえなり。民主的個人を以て組織されざる社会は奴隷的社会万能の中世時代なり。しかして民主的個人の人格的基礎はすなわちその私有財産なり。私有財産を尊重せざる社会主義は、いかなる議論を長論大著に構成するにせよ、要するに原始的共産時代の回顧のみ。

私有財産限度超過額の国有。私有財産限度超過額は凡て無償を以て国家に納付せしむ。

この納付を拒む目的を以て現行法律に保護を求むるを得ず。（三行削除）[*1]

【編集部註】

＊1 「もしこれに違反したる者は天皇の範を蔑《ないがしろ》にし国家改造の根基を危うくするものと認め、戒厳令施行中は天皇に危害を加うる罪及び国家に対する内乱の罪を適用してこれを死刑に処す」（『国家改造案原理大綱』で補う）

註一。経済的組織より見たるとき、現時の国家は統一国家にあらずして経済的戦国時代たり経済的封建制たらんとす。米国のごときは確実に経済的諸侯政治を築き終れるものなり。国家は、かつて家の子郎等または武士等の私兵を養いて攻戦討伐せし時代より現時の統一に至れり。国家はさらにその内容たる経済的統一をなさんがために、経済的私兵を養いて相殺傷しつつある今の経済的封建制を廃止し得《う》べし。

註二。無償を以て徴集する所以は、現時の大資本家大地主等の富はその実社会共同の進歩と共同の生産による富が悪制度のため彼ら少数者に停滞し蓄積せられたる者に係わるを以てなり。理由の第二は、公債を以てことごとくこれらを賠償する時は、彼らは公債に変形したる依然たる巨富を以て国家の経済的統一を毀損し得べき力を有するを以てなり。第三の理由は、国家として不合理なる所有に対して賠償をなす能わず実にその資本をして有史未曽有の活用をなすべき切迫せる当面の経綸を有するを以てなり。

註三。違反者に対して死刑を以てせんと云うは必ずしも希望するところにあらず。またもとより無産階級の復讐的騒乱を是非するにもあらず。実に貴族の土地徴集を決行するに、大西郷が異議を唱うる諸藩あらば一挙討伐すべき準備をなしたる先哲の深慮に学ぶべしとする者なり。二三十人の死刑を見ば天下ことごとく服せん。

改造後の私有財産超過者。国家改造後の将来、私有財産限度を超過したる富を有する者はその超過額を国家に納付すべし。

国家はこの合理的勤労に対してその納付金を国家に対する献金として受け明《あきら》かにその功労を表彰するの道を取るべし。

この納付を避くる目的を以て血族その他に分有せしめまたは贈与するを得《え》ず。

違反者の罪則は、国家の根本法を紊乱《びんらん》する者に対する立法精神において、別に法律を以て定む。

註一。現時の致富と改造後の致富とが致富の原因を異にするを了解すべし。

註二。最少限度の生活基準に立脚せる諸多の社会改造説に対して、最高限度の活動権域を規定したる根本精神を了解すべし。深甚なる理論あり。

註三。前世紀的社会主義に対する一般かつ有理の非難、すなわち各人平等の分配のために勤勉の動機を喪失すべしと云うごとき非難をこの私有財産限度制に移し加うるを得《え》ず。第一、私有財産権を確認するがゆえに尠《すこ》しも平等的共産主義に傾向せず。しかして私有財産に限度ありといえどもいささかも勤勉を傷《きずつ》けず。一百万円以上の富は国有たるべきがゆえに、工夫は多くの賃金を要せず商家は広き買客を欲せずと思考する者なし。

註四。私人一百万円を有せば物質的享楽及び活動において至らざるところなし。国民の国家内に生活する限り神聖なる人権の基礎として国家の擁護する所以。数百万数千万数億万の富に何ら立法的制限なきは国家の物質的統制を現代見るごとき無政府状態に放任する者。国家が国際間に生活する限り国家の至上権において国家の所有に納付せしむる所以。

註五。私産限度超過者が法律を遵守せずして不可行に終《おわ》るべしと狐疑《こぎ》するなかれ。刑法を遵守せずして放火殺人をあえてする者あるがゆえに刑法は空想なりと云う者なし。国憲を紊乱する者に課罰する別個重大精密なる法律を制定する所以なり。

（四行削除*2）

（三行削除*3）

註一。（七行削除*4）

註二。（八行削除*5）

註三。（五行削除）*6
註四。（五行削除）*7
註五。（二行削除）*8

*2　「在郷軍人団会議——天皇は戒厳令施行中在郷軍人団を以て改造内閣に直属したる機関とし以て国家改造中の秩序を維持するとともに各地方の私有財産限度超過者を調査しその徴集に当らしむ」（『国家改造案原理大綱』で補う）

*3　「在郷軍人団は在郷軍人の平等普通の互選による在郷軍人会議を開きてこの調査徴集に当る常設機関となす」（同）

*4　「在郷軍人はかつて兵役に服したる点において国民たる義務をもっとも多大に果たしたるのみならずその間の愛国的常識は国民の完全なる中堅たり得《う》べし。かつその大多数は農民と労働者なるがゆえに同時に国家の健全なる労働階級なり。しかしてすでに一糸紊《みだ》れざる組織あるがゆえに改造の断行において露独に見るごとき騒乱なく真に日本のみ専《もっぱ》らにすべき天佑なり」（同）

*5　「露西亜の労兵会〔二十世紀初頭ロシアとドイツで結成された労働者と兵士の評議会。前者はロシア革命の原動力になったとされる〕及びそれに倣《なら》いたる独逸

その他の労兵会に比するとき在郷軍人団のいかに合理的なるかを見るべし。現役兵を以て現在労働しつつある者と結合して同族相屠ふる彼らは悲しむべき不幸なり」（同）

＊6 「在郷軍人団は兵卒の素質を有する労働者なる点において労兵会のもっとも組織立てる者とも見らるべし。かつ日本の軍隊は外敵に備うる者にして自己の国民の弾圧に用ゆべきにあらず」（同）

＊7 「国民の資産納税等に関与する各官庁を用いざる所以はそれらと大富豪との結托はすでに脱税等に見るごとく事々国家を欺きて止まざればなり。第二の理由はこの改造が官僚の力による改造にあらずして国民自らが国民のためにする改造なる根本精神に基《もと》づく」（同）

＊8 「もとより在郷軍人団がその調査と徴集に一の過誤失当なきを期するために必要なる官庁をして必要に応じて協力補佐せしむるは論なし」（同）

巻三　土地処分三則

私有地限度。 日本国民一家の所有し得《う》べき私有地限度は時価十万円とす。この限度を破る目的を以《もっ》て血族その他に贈与しまたはその他の手段によりて所有せしむるを得《え》ず。

註一。国民の自由を保護し得る国家は同時に国民の自由を制限し得るは論なし。外国の侵略またはその他の暴力より安全にその土地を私有し得る所以《ゆえん》は凡《すべ》て国家の保護による。資本的経済組織のために国内に不法なる土地兼併が行われて、大多数国民がその生活基礎たる土地を奪取せられつつあるを見るとき、国家は当然に土地兼併者の自由を制限すべし。

註二。時価十万円として小地主と小作人との存立を認むる点は、一切の地主を廃止せんと主張する社会主義的思想と根拠を異にす。また土地は神の人類に与えたる人権なりと云うがごとき愚論の価値なきは論なし。凡てに平等ならざる個々人はその経済的能力享楽及び経済的運命においても画一ならず。ゆえに小地主と小作人の存在することは神意とも云うべく、かつ社会の存立及び発達のために必然的に経由しつつある過程なり。

私有地限度を超過せる土地の国納。私有地限度以上を超過せる土地はこれを国家に納付せしむ。

国家はその賠償として三分利付公債を交付す。ただし私産限度以上に及ばず。その私有財産と賠償公債との加算が私産限度を超過する者はその超過額だけ賠償公債を交付せず。

（一行削除）[*1]

【編集部註】

＊1　「違反者の罰則は戒厳令施行中前掲〔巻二編集部註＊1〕に同じ」（『国家改造案原理大綱』で補う）

註一。日本現時の大地主はその経済的諸侯たる形において中世貴族の土地を所有せるに似たるも、所有権の本質においてまったく近代的の者なり。中世の所有権思想はその所有が奪取なると否《いな》とを問わず強者の権利の上に立てる者なりき。維新革命は所有権の思想が強力による占有にあらずして労働に基《もと》づく所有に一変するとともに、強者がその強力を失いてその所有権を喪失したる者。これに反して、この私有地限度超過を徴集することは近代的所有権思想の変更にあらず。単に国家の統一と国民大多数の自由のために少数者の所有権を制限する者に過ぎず。ゆえに私有財産限度以下において所有権に伴う権利として賠償を得る者なり。

註二。ゆえに中世貴族の所有地を現今に至るも解決する能わずして、終《つい》に独立問題にまで破裂せしめたる愛蘭《アイルランド》の土地問題と＊2、この私有地限度制とはその思想においても進歩の程度においても雲泥の差あるを知るべし。また現時露西亜《ロシア》の土地没収のごときは明《あきら》かに維新革命を五十年後の今において拙劣に試みつつある者に過ぎず。彼が多くの点すなわち軍事政治学術その他の思想において遥かに後進国なるは論なし。土地問題において英語の直訳や「レニン〔レーニン〕」の崇拝は佳人の醜婦を羨《うらや》むの類。

＊2　十九世紀後半、アイルランドで小作人の地主に対する抵抗運動が激化し、全島で土地戦争と呼ばれる流血の事態となった。急進的な「アイルランド国民土地同盟」はすべての土地の国有化を唱え、イギリス本国は戒厳令を布いて騒動を終息させた。

（三行削除[*3]）

註。（一行削除[*4]）

＊3　「土地徴集の機関――在郷軍人団会議は在郷軍人団の監視の下に私有地限度超過者の土地の評価徴集に当るべし」（『国家改造案原理大綱』で補う）

＊4　「前掲の如し」（同）

将来の私有地限度超過者。将来その所有地が私有地限度を超過したる者はその超過せる土地を国家に納付して賠償の交付を求むべし。この納付を拒む目的を以て血族その他に贈与しまたはその他の手段によりて所有せしむることを得ず。違反者の罰則は、国家の根本法を紊乱する者に対する立法精神において、別に法律を以て定む。

徴集地の民有制。国家は皇室下附の土地及び私有地限度超過者より納付したる土地を分割して土地を有せざる農業者に給付し、年賦金を以てその所有たらしむ。

年賦金額年賦期間等は別に法律を以て定む。

註一。社会主義的議論の多くが大地主の土地兼併を移して国家その者を一大地主となし、以て国民は国家の所有の土地を借耕する平等の小作人たるべしと云うは原理としては非難なし。これに反対して露西亜の革命的思想家の多くは国民平等の土地分配を主張してまた別個の理論を土地民有制に築く者多し。しかしながらかかる物質的生活の問題はある画一の原則を予断して凡てを演繹すべき者にあらず。もし原則と云う者あらば、ただ国家の保護によりてのみ各人の土地所有権を享受せしむるがゆえに、最高の所有者たる国家が国有とも民有とも決定し得べしと云うことこれのみ。露西亜に民有論の起るは正当なるとともに、愛蘭の貴族領が国有たるべきも可能なり。すなわち二者のいずれかを決し得る国家はその国情の如何《いかん》を考えて最善の処分をなせば可《か》なりとす。日本が大地主の土地を徴集することは最高の所有者たる国家の権利にして国有なり。しかして日本が小農法の国情なるに考えてこれを自作農の所有権に移し以て土地民有制を取ることも、日本としての物質生活より築かるべき幾多の理論を有す。かつ動かすべからざる原理は、都市の住宅地と異なりて農業者の土地は資本と等《ひと》しくその経済生活の基本たるを以て、資本が限度以内において各人の所有権を認めらるるごとく、土地またその限度内において確実なる所有権を設定さるることは国民的人権なりとす。

註二。この日本改造法案を一貫する原理は、国民の財産所有権を否定する者にあらずして、全国民にその所有権を保障し享楽せしめんとするにあり。熱心なる音楽家が借用の楽器にて満足せざるごとく、勤勉なる農夫は借用地を耕してその勤勉を持続し得る者にあらず。人類を公共的動物とのみ考うる革命論の偏向せることは、私利的欲望を経済生活の動機なりと立論する旧派経済学と同じ。ともに両極の誤謬なり。人類は公共的と私利的との欲望を併有す。従って改造さるべき社会組織また人性を無視したるこれら両極の学究的臆説に誘導さるること能わず。

都市の土地市有制。都市の土地は凡てこれを市有とす。

市はその賠償として三分利付市債を交付す。

賠償額の限度及び私有財産とその加算が私有財産限度を超過したる者は前掲に同じ。

（一行削除）[*5]

*5 「土地徴集機関また前掲に同じ」（『国家改造案原理大綱』で補う）

註一。都市と限りて町村住宅地を除外せる所以は、公有とすべき理由が町村の程度においては完成せざるを以てなり。

註二。都市地価の騰貴する理由は農業地のごとく所有者の労力に原因する者にあらずして大部分都市の発達そのものによる。都市はその発達より結果せる利益を単なる占有者に奪わるる能わず。以てこれを市有とするものなり。

註三。都市はその借地料の莫大なる収入を以て市の経済を遺憾なからしむるを得。従って都市の積極的発達はこの財源によりて自由なるとともに、その発達より結果する借地料の騰貴はまた循環的に市の財源を豊かにす。

註四。家屋は衣服と等しく各人の趣味必要に基く者なり。三坪の邸宅に甘する者あるべく数十万円の高楼を建つるものあるべし。ある時代の社会主義者の市立の家屋を考えしごときは市民の全部に居常かつ終生画一なる兵隊服を着用せしむべしと云うと一般、愚論なり。

註五。すでに都市の私有地を許さざるがゆえに、設定せられたる地上権より利得を計ることを得ず。すなわち借家を以て利得をなす者は家屋そのものよりの利得にして、地上権に伴う利益を計上するを得ず。このために市は五年目毎《ごと》に借地料の評価をなす。

国有地たるべき土地。大森林または大資本を要すべき未開墾地または大農法を利とする土地はこれを国有とし国家自らその経営に当るべし。

註一。下掲大資本の国家統一の原則による。

註二。我が日本においては国民生活の基礎たる土地の国際的分配において将来大領土を取得せざるべからざる運命にあり。従って国有として国家の経営すべき土地の莫大なるを考うべし。要するに凡てを通じて公的所有と私的所有の併立を根本原則とす。

註三。日本の土地問題は単に国内の地主対小作人のみを解決して得べからず。

土地の国際的分配において不法過多なる所有者の存在することに革命的理論を拡張せずしては、言論行動一瞥の価値なし。(「国家の権利」参照)

巻四　大資本の国家統一

私人生産業限度。私人生産業の限度を資本一千万円とす。

海外における国民の私人生産業また同じ。

註一。私有財産限度と私人生産限度とを同一視すべからず。合資株式合名または自己の財産にあらざる借入金を以《もっ》て生産を営む後者の制限は財産の制限たる前者とまったく別事なり。

註二。限度を設けて私人生産業を認むる所以《ゆえん》は前掲の諸註より推して明《あきら》かなるごとく幾多の理由あり。人の経済的活動の動機の一が私欲にありと云うもその一。新たなる試《こころみ》が公共的認識を待つ能わずして常に個人の創造的活動によると云うもその二。いかに発達するも公共的生産が国民生活の全部を蔽《おお》う能わずして、現実的将来は依然として小資本による私人経済が大部分を占むる者なりと云うもその三。国民自由の人権は生産的活動の自由において表われたる者につきて特に保護助長すべき者なりと云うもその四。数《かぞ》うるに尽きざるこれらの理由は社会主義がその建設的理論においていまだまったく世の首肯を得ざる欠陥を示す者なり。「マルクス」と「クロポトキン」とは未開なる前世紀時代の先哲として尊重すれば可《か》。

私人生産業限度を超過せる生産業の国有。私人生産業限度を超過せる生産業は凡てこれを国家に集中し国家の統一的経営となす。

賠償金は三分利付公債を以て交付す。賠償の限度及び私有財産との関係等凡て私有財産限度の規定による。

（一行削除）[*1]

【編集部註】

＊1　「違反者の罰則は戒厳令施行中前掲〔巻二編集部註＊1〕に同じ」（『国家改造案原理大綱』で補う）

註一。大資本が社会的生産の蓄積なりと云うことは社会主義の原理にして明白なること説明を要せず。しからば社会すなわち国家が自己の蓄積せる者を自己に収得し得るはまた論なし。

註二。現時の大資本が私人の利益のために私人の経営に委せらるることは、人命を殺活し得べき軍隊が大名の利益のために大名に私用せらるることと同じ。国内に私兵を養いて私利私欲のために攻伐しつつある現代支那が政治的に統一せる者と云う能わざるごとく、鉄道電信のごとき明白なる社会的機関をすら私人の私有たらしめて甘んずる米国は金権督軍の内乱時代なり。国民の安寧秩序を保持することが国家の唯一任務なりとせば、国民の死活栄辱を日夜にわたり終生を通じて脅威しつつあるこれらを処分せずしては国家なきに同じ。無政府党は怖《おそ》るるの要なし。国家が国家自らの義務と権能とを無視することを畏るべしとなす。

註三。積極的に見るとき大資本の国家的統一による国家経営は米国の「ツラスト〔トラスト〕」独逸《ドイツ》の「カルテル」をさらに合理的にして国家がその主体たる者なり。「ツラスト」「カルテル」が分立的競争より遥かに有理なる実証と理論によりて国家的生産の将来を推定すべし。

註四。大生産業の徴集においてそれらを有し、さらに土地徴集においても各所にそれらを有する大富豪等は、要するにただ一百万円を所有し得るのみなり。これと同時に一百万円以下の株券を有し合資を有する者は、その干与せる株式会社合資会社の徴集せらるる時一の傷害なき賠償を受くる者なり。すなわちいわゆる上流階級なる者を除ける中産以下の全国民には寸毫《すんごう》の動揺を与えず。

（二行削除[*2]）

註。（四行削除[*3]）

＊2　「資本徴集機関――私人生産業限度を超過せる資本の徴集機関は在郷軍人団会議たること前掲に同じ」（『国家改造案原理大綱』で補う）

＊3　「私有財産限度超過者の調査と徴集が根本なるを以て土地超過者と資本超過者の処分に当ることはただ根本を収めて枝葉に及ぶ者に過ぎず。在郷軍人団を以てするとき必ずしも三年の戒厳令を要せず」（同）

改造後私人生産業限度を超過せる者。改造後の将来、事業の発達その他の理由によりて資本が私人生産業限度を超過したる時は凡て国家の経営に移すべし。国家は賠償公債を交付しかつ継承したる該事業の当事者にその人を任ずるを原則とす。

違反者の罰則は、国家の根本法を紊乱する者に対する立法精神において、別に法律を以て定む。

その事業がいまだ私人生産業限度の資本に達せざる時といえども、その性質上大資本を利としまた国家経営を合理なりと認むる時は、国家に申達し双方協議の上国家の経営に移すことを得。

註一。一千万円以上の生産業が国営たるべきために起る疑惑は事業家の奮闘心を挫折せしむべしと云うことなり。これに対して人類は公共的動物なりと云う共産主義者の人生観が半面よりもっとも有力に説明し尽したるは人の知るごとし。かつ利己的欲望そのものを解剖するも、事業家の事業経営においてはその手腕の発揮を見る自己満足、その経営的手腕の社会に認識せらるるを欲する功名的動機が多大に含有せらるるを発見すべし。現代の将軍らが愛国心の外にこれら功名的動機、軍事的手腕を発揮せんとする自己満足の動機のために戦場に死戦するを見よ。彼《か》の戦国時代の将軍らが一州を略せば一州を領し、一城を抜けば一城の主たりと云う私利的経済的欲望を掲げたる争闘より劣る者なし。もとよりあえて凡てを事業家の公共的動機に要《もと》めず。その利己的欲望中に含有さるるかかる幾多の動機は、その事業を発展せしめたる国家的認識と、国家に移れる事業をその人に経営せしむる手腕発揮の自己満足とによりて、実に争いて私人生産業限度を超越せんとする奮闘心を刺戟《しげき》し鞭撻《べんたつ》すべし。いわんやかかる改造組織の後においてては、公共的動物たる人類の美性はこれを阻害する悪制度なきがために、著《いちじる》しく国民の心意行動を支配するに至るは確定したる理論を有す。

註二。私人一百万円の私的財産を有するに至らば、一切の私利的欲求を断ちてただ社会国家のために尽くすべき欲望に生活せしむべし。私人一千万円の私的産業に至らばその事業の基礎及び範囲において直接かつ密接して国家社会の便益福利以外一点の私的動機を混在せしむべき者にあらず。ゆえにこの二者の制限は現今まで放任せられたる道徳性を国家の根本法として法律化するに過ぎざるなり。

国家の生産的組織。

その一。銀行省。私人生産業限度以上の各種大銀行より徴集せる資本、及び私有財産限度超過者より徴集したる財産を以て資本とす。海外投資において豊富なる資本と統一的活動。他の生産的各省への貸付。私人銀行への貸付。通貨と物価との合理的調整。絶対的安全を保証する国民預金等。

註一。現時の分立せる銀行とこの銀行省との対外能力を考うる時、その差等はほとんど支那の私兵と日本の統一軍隊ほどの懸隔を見るべし。私兵を糾合して対外利権を争うがごときは資本の乏しき日本に取りて必敗なり。

註二。貿易順調にして外国より貨幣の流入横溢したために物価騰貴に至る恐ある時、銀行省はその金塊を貯蔵して国家非常の用に備うるとともに、物価を合理的に調整するを得べし。経済界の好況をかえって反対に国民生活の憂患とする現下の大矛盾は一に国家が「金権」を有せざるに基《もとづ》く。

註三。国民膏血《こうけつ》の貯金または事業の運命を決すべき預金等が銀行の破産により て消散することは国民生活の一大不安なり。いかに岩下清周《せいしゅう》*4に重刑を課するも幾万人の被害者に何の補《おぎな》いたらず。大日本帝国が国民とともに亡びざる限り銀行省の預金に不安なし。

*4　岩下清周（一八五七～一九二八）は北浜銀行頭取。一九二四年、社長を務めていた大阪電気軌道（現、近畿日本鉄道）のトンネル工事（創立に関わった大林組が請負）で事故が発生、多額の融資をしていた北浜銀行で取り付け騒ぎが起

こり、翌年、背任・横領で有罪判決を受けた。

その二。航海省。私人生産業限度以上の航海業者より徴集したる船舶資本を以て遠洋航路を主とし海上の優勝を争うべし。造船造艦業の経営等。

註。これ海上の鉄道国有に過ぎず。その外国同業者との競争能力等は「トラスト」「カルテル」より推論し得べく、以下の各省皆同じ。

その三。鉱業省。資本または価格が私人生産業限度以上なる各種大鉱山を徴集して経営す。銀行省の投資に伴う海外鉱業の経営。新領土取得の時私人鉱業と併行して国有鉱山の積極的開発等。

註一。資本のみならず鉱山の価格を明示せる所以。機械その他の設備を資本として鉱山そのものの価格が資本なることを忘れんとする誤解を防ぐ。

註二。国民の屍山血河によりて獲得したる鉱山（例えば撫順炭鉱のごとき）を少数者に壟断《ろうだん》しつつある現時の状態は実に最悪なる政治と云うの外なし。愛国心の頽廃《たいはい》も無政府党の出現も国家自らが招く者。

その四。農業省。国有地の経営。台湾製糖業及び森林の経営。台湾、北海道、樺太、朝鮮の開墾。南北満洲、将来の新領土における開墾、または大農法の耕地を継承せる時の経営。

註。台湾における糖業及び森林に対する富豪らの罪悪が国家の不仁不義に帰せらるるごときは国家及び国民の忍び得べき者にあらず。将来台湾の幾十倍なる大領土を南北満洲及び極東西比利亜《シベリア》に取得すべき運命において、同一なる罪悪を国家国民の責任に嫁せらるることは日本の国際的威厳信用を汚辱し、土地の国際的分配の公正のために特に日本の享有せる領土拡張の生活権利を損傷し、いかなる大帝国建設も百年の寿を全うする能わざるべし。

その五。工業省。徴集したる各種大工業を調整し統一し拡張して真の大工業組織となして、各種の工業ことごとく外国のそれらと比肩するを得べし。私人の企てざる国家的欠陥たるべき工業の経営。海軍製鉄所陸軍兵器廠の移管経営等。

註。工業の「トラスト」的「カルテル」的組織は資本乏しく列強より後れたる日本には特に急務なり。また今回の大戦に暴露せられたるごとく日本は自営自給する能わざる幾多の工業あり。自己の私利を目的とする資本制度に依頼して晏如《あんじょ》たることは、今日及び今後日本の国際的危機の忍ぶ能わざるところなり。

その六。商業省。国家生産または私人生産による一切の農業的工業的貨物を案配し、国内物価の調節をなし、海外貿易における積極的活動をなす。この目的のために凡て関税はこの省の計算によりて内閣に提出す。

註一。すでに私有財産限度あり、私有地限度あり、私人生産業限度あり。私人は悪用すべき大資本を奪われたるがゆえに国家の物価調節に反抗して買占め売惜み等をなすこと能わず。従って国家の物価調節は一糸紊《みだ》れず整然として行わるべし。大地主と投機商人との有する大資本が米穀の買占め売惜みを自由ならしめて現時の米価騰貴を現出しつつあるを見よ。凡ての物価問題ことごとくここに発す。彼らの大資本を奪わずして物価調節を云うごときは抱腹すべき空想政治なり。

註二。国内の物価が世界的原因、すなわち世界大戦中のごとき世界的物価騰貴のために騰貴するときは、国家は一般国民の購買能力と世界市価との差額を輸出税として課税すべし。公私生産品一律に課税さるるは論なし。かくして国内物価の暴騰を防ぐと同時に、貿易上の利益を国庫に収得するを得べし。ただしこれらは非常変態の経済状態にして輸出税を課するごとき原則にあらざるは論なし。しかも非常に遭遇したる時国民の不安騒乱を招くがごとき国家組織を以てして、如何《いかん》ぞ大日本帝国の世界的使命を全うするを得べき。将来一大戦争を覚悟するならば特に非常時に安泰なるべき改造を要す。

その七。鉄道省。今の鉄道院に代え、朝鮮鉄道南満鉄道等の統一。将来新領土の鉄道を継承し、さらに布設経営の積極的活動等。

私人生産業限度以下の支線鉄道はこれを私人経営に開放すべし。

註一。鮮血の南満鉄道が富豪に壟断《ろうだん》さるるの不義と危険とは鉱業省の註に述べたるがごとし。もし将来の大領土における諸多の鉄道を再び南満鉄道に学ばしむることあらば国民に闘志なきこと明白なり。

註二。鉄道の国有なるがゆえに現時のごとく民間の鉄道布設が阻害せらるるは、第一国民の経済的自由を蹂躪するのみならず、国有鉄道そのものの利益を減殺するものなり。陸上の鉄道なるがゆえに山間僻村の支線をも国有とし、海上の鉄道なるがゆえに全世界に通ずる幹線をも民有とすべしとは道理に合せざるも甚し。鉄道の国有たるべき者と民有たるべき者と、また実に私人生産業限度の原則及び大資本の国家統一の原則の下に律せらるべし。国家の大本は一にして二なし。

莫大なる国庫収入。 生産的各省よりの莫大なる収入はほとんど消費的各省及び下掲国民の生活保障の支出に応ずるを得べし。従って基本的租税以外各種の悪税はことごとく廃止すべし。

生産的各省は私人生産者と同一に課税せらるるは論なし。

塩、煙草の専売制はこれを廃止し、国家生産と私人生産との併立する原則によりて、私人生産業限度以下の生産を私人に開放して公私一律に課税す。

遺産相続税は親子の権利を犯す者なるを以《もっ》て単に手数料の徴収に止む。

註一。国家の徴集し得べき資本の概算は推想するを得べきも、その真実を去る甚だ遠きことは〇〇〇〇[*5]の調査徴集を必要とする所以なり。

註二。国家の生産的収入の増大するに従いて、啻《ただ》に悪税のみならず多くの租税を廃止し得るの時来るべきは推想し得べし。

註三。遺産相続を機として国家が収得を計らんとする社会政策者流の人権的思想に不徹底なるを思考すべし。

＊5　「在郷軍人団」（『国家改造案原理大綱』で補う）

巻五　労働者の権利

労働省の任務。内閣に労働省を設け国家生産及び個人生産に雇傭《こよう》さるる一切労働者の権利を保護するを任務とす。

労働争議は別に法律の定むるところによりて労働省これを裁決す。この裁決は生産的各省個人生産者及び労働者の一律に服従すべき者なり。

註一。労働者とは力役または智能を以《もっ》て公私の生産業に雇傭せらるる者を云う。従って軍人官吏教師等は労働者にあらず。例えば巡査が生活権利を主張する時はその所属たる内務省が決定すべく、教師が増給運動をなす時は文部省が解決すべし。労働省の与《あず》かるところにあらず。

註二。同盟罷工は工場閉鎖とともにこの立法に至るべき過程の階級闘争時代の一時的現象なり。永久的に認めらるべき労働者の特権にあらざるとともに、一躍この改造組織を確定したる国家に取りては断然禁止すべき者なり。ただしこの改造を行わずしてしかも徒《いたず》らに同盟罷業を禁圧せんとするは、大多数国民の自衛権を蹂躙する重大なる暴虐なりとす。

労働賃銀。労働賃銀は自由契約を原則とす。

その争議は前掲の法律の下に労働省これを決定す。

註一。自由契約とせる所以《ゆえん》は国民の自由を凡《すべ》てに通ぜる原則として国家の干渉を背理と認むるによる。真理は一社会主義の専有にあらずして自由主義経済学の理想にまた犯すべからざる者あり。等しく労働者と云うも各人の能率に差等あり。特に将来日本領土内に居住しまたは国民権を取得する者多き時、国家が一々の異民族につきその能率と賃銀とに干渉し得《う》べきにあらず。現今においては資本制度の圧迫によりて労働者は自由契約の名の下に全然自由を拘束せられたる賃銀契約をなしつつあり。しかも改造後の労働者は真個その自由を保持して些《いささか》の損傷なかるべきは論なし。

註二。自由（すなわち差別観）を忘れてただ観念的平等に立脚したる時代の社会主義的理想家は国民に徴兵制のごとく労働強制を課せんと考えしことあり。人生は労働のみによりて生くる者にあらず。また個々人の天才は労働の余暇を以て発揮し得べき者にあらず。何人が大経世家たるか大発明家大哲学者大芸術家たるかは、彼らの立案するごとく社会が認めて労働を免除すと云う事前に察知すべからずしてことごとく事後に認識せらるる者なればなり。社会主義の原理が実行時代に入れる今日となりてはそれに附帯せる空想的糟粕《そうはく》*1は一切棄却すべし。

*1　よいところを取った後の残りかす

労働時間。労働時間は一律に八時間制とし日曜祭日を休業して賃銀を支払うべし。

農業労働者は農期繁忙中労働時間の延長に応じて賃銀を加算すべし。

註。説明の要なし。ただし余の時間を以て修養に享楽に自由なる人権に基《もとづ》きて、家庭的労働をなしまた他の営業をなすは等しく個人の自由なり。

労働者の利益配当。私人生産に雇傭せらるる労働者はその純益の二分の一を配当せらるべし。

この配当は智能的労働者及び力役的労働者を総括したる者にして、各自の俸給賃銀に比例して分配す。

労働者はその代表を選びて事業の経営計画及び収支決算に干与す。

農業労働者と地主との間またこれに同じ。

国家的生産に雇傭せらるる労働者はこの利益配当に代わるべき半期毎《ごと》の給付を得べし。事業の経営収支決算に干与する代りに衆議院を通じて国民として国家の全生産に発言すべし。

註一。労働者はその労働を売却する者なりとは旧派経済学の誤説なり。企業家がその企業的能力をその資本たる機械鉱山土地等に加えて利益を計ると同じく、労働者はそれらの資本に労働を加えて利益を計る者なり。機械そのものは人類の知識を結晶したる祖先の遺産たり、社会の共同的産物たり。鉱山土地等そのものはまったく自然の存在にしてそれを所有せしむる凡ての力は国家なり。しかして、これらの資本より利益を得んとしてここに各種の人力を要す。企業家は企業的能力を提供し労働者は智能的力役的能力を提供す。労働者の月給または日給は企業家の年俸と等しく作業中の生活費のみ。一方の提供者には生活費のみを与えてその提供のために生れたる利益を与えず他方の提供者のみ生活費の外に凡ての利益を専有すべしとは、その不合理にして無智なることほとんど下等動物の社会組織と云うの外なし。労働者が経営計画に参与するの権はこの一方の提供者としてなり。

註二。国家生産の労働者に利益配当を用いざる所以は、国家は全生産の永遠的経営を本旨とするがゆえに、全国家の生産的活動のためにある省にはことさらに投売を行わしめて損失を顧みざることあるごとく、ある省を犠牲としてある省の対外競争をもっぱらならしむることもあるべきを以てなり。かかる場合において各別に利益配当をなす時は非常なる不公平を生じ、甲省の労働者の利益配当を奪いて乙省のそれに与うるがごときを生ずべし。従ってまた生産方針に干与するの権は国家全局の生産成績を達観し得べき衆議院においてせざるべからざる所以となる。

労働的株主制の立法。私人生産業中株式組織の事業はそれに雇傭さるる肉体的精神的労働者をして、自らその株主たり得る権利を設定すべし。

註一。これ自己の労働と自己の資本とが不可分的に活動する者なり。事業に対する分担者としての当然なる権利に基きて制定さるべし。別個生産能率をも思考すべし。

註二。私人生産業限度内の事業において将来半世紀一世紀間は現代のごとき腐敗破綻を来《きた》す怖ある者と推定すべし。従って、労働的株主を併存せしむることは内容的根本的に常に該事業を健確に支持すべし。

註三。労働的株券の発言権は労働争議を株主会議内において決定し、一切の社会的不安なからしむべし。

借地農業者の擁護。私有地限度内の小地主に対して土地を借耕する小作人を擁護するために、国家は別個国民人権の基本に立てる法律を制定すべし。

註一。限度以上の土地を分有せしむる大本は別に存せり。しかも小地主対小作人の間を規定して一切の横暴脅威を抜除すべき細則を要す。

註二。一切の地主なからしめんと叫ぶ前世紀の旧革命論を、私有限度内の小地主対小作人の間に巣《すく》わしむべからず。旧社会の惰勢を存せしむる凡てのところに、旧世紀の革命論は繁殖すべし。

幼年労働の禁止。満十六歳以下の幼年労働を禁止す。これに違反して雇傭したる者は重大なる罰金または体刑に処す。尊族保護の下に尊族の家庭において労働する者はこの限りにあらず。

註。国民人権の上より説明を要せず。満十六歳以下とせるは下掲の国民教育期間なるを以てなり。体刑を課する所以は国家の児童を保護するにもっとも厳励なるべきを以てなり。実に国家の生産的利益の方面より見るも、幼童にして残賊するよりもその天賦を完全に啓発すべき教育を施したる後の労働が幾百倍の利益なるは論なし。四海同胞の天道を世界に宣布せんとする者が、自らの国家内における幼少なる同胞を酷使して何の国民道徳ぞ。

婦人労働。婦人の労働は男子とともに自由にして平等なり。ただし改造後の大方針として国家は終《つい》に婦人に労働を負荷せしめざる国是を決定して施設すべし。国家非常の際に処し婦人が男子の労働に代わり得べきために男子と平等なる国民教育を受けしむ。(「国民の生活権利」参照)。

註一。現時の農業発達の程度においては婦人を炎天に晒《さ》らしてその美を破り、または貧困者多き近き将来においては婦人を工場に駆使してその楽《たのしみ》を奪うことも止むを得《え》ざる人間生活なり。然《しか》しながら大多数婦人の使命は国民の母たることとなり。妻として男子を助くる家政労働の外に、母として保姆《ほぼ》の労働をなし、小学教師に劣らざる教育的労働をなしつつある者は婦人なり。婦人はすでに男子の能わざる分科的労働を十二分に負荷して生れたる者。これらの使命的労働を廃せしめてまったく天性に合せざる労働を課するは、啻《ただ》に婦人そのものを残賊するのみならず、直にその夫を残賊し、その子女を残賊する者なり。この改造によりて男子の労働者の利得が優に妻子の生活を保証するに至らば、良妻賢母主義の国民思想によりて婦人労働者は漸次的に労働界を去るべし。

註二。この点は女子参政権問題におけるがごとく、日本と欧米とが全然発達の傾向を異にし来《きた》りかつ異にすべき将来を示す者なり。日本婦人の人格は欧米のごとく男子の職業を争いて認めらるべき将来を仮想するの要なし。国家組織が下掲のごとく母としてまた妻としての婦人の生活を保証し、婦人が男子と平等の国民教育を受くるならば、その妻としての労働母としての労働が人格的尊敬を以て認識せらるるは論なし。

註三。婦人は家庭の光にして人生の花なり。婦人が妻たり母たる労働のみとならば、夫たる労働者の品性を向上せしめ、次代の国民たる子女をますます優秀ならしめ、各家庭の集合たる国家は百花爛漫《ひゃっからんまん》春光駘蕩《しゅんこうたいとう》たるべし。特に社会的婦人の天地として、音楽美術文芸教育学術等の広漠たる未墾地あり。この原野は六千年間婦人に耕やし播《ま》かれずして残れり。婦人が男子と等しき牛馬の労働に服すべき者ならば天は彼の心身を優美繊弱に作らず。

巻六　国民の生活権利

児童の権利。満十五歳未満の父母または父なき児童は、国家の児童たる権利において、一律に国家の養育及び教育を受くべし。国家はその費用を児童の保護者を経て給付す。

父生存してしかも父に遺棄せられたる児童また同じ。ただしこの場合において国家は別途その父に対して賠償を命じ、従わざるものは労働を課して賠償に充《あ》てしむ。

父母の遺産を相続せる児童、または母の資産あるいは特種能力において教養せられ得《う》る児童は、国家と協議の上この権利を放棄せしめらるべし。

註一。人の居常かつ終生の憂惧《ゆうぐ》は子女の安全なる生長にあり。封建時代の武士が凡《すべ》て後顧の憂《うれい》なきがためにその道義的奮進または犠牲的冒険を敢行し得《え》たるごとく、国民はその子女の国家的保障のため戦場においても平和のそれにおいても何ら後顧の憂なし。その児童の権利として児童そのものを権利主体とせるは、父母の如何《いかん》に係らず、第二の国民たる点において国民的人権を有するを以《もっ》てなり。

註二。父なき児童が孤児と同一なる権利を有する所以《ゆえん》は、婦人は男子たる父と同一なる労働をなす能わざる原則に基《もと》づく。慈悲深き賢母を労働の苦役に駆り貞節なる良妻を売淫の汚濁に投ずるは、夫たり子女たる国民の忍ぶ能わざるところ。国家は夫と子女と婦人そのもののためにその義務を完《まっと》うせざるべからず。ただし母その人の生活は母自身の維持すべきものとす。

註三。父生存して遺棄せられたる児童また同じきは凡てこの理由による。結婚と単なる情交とを差別せず。しかして賠償を別途に命じて同居を父に強いざる所以は、遺棄したる事情が背徳にせよまたは積極的活動のためにせよ干渉すべからざる別事なればなり。

註四。父母ともになき児童を孤児院に収容せざる所以は、孤児院の弊害甚《はなは》だしきと、児童の保護者として血族長者の保護に優る者なきを以てなり。全然保護者なき孤児は国家の収容すべきは論なし。

註五。以上児童の権利は自ら同時に母性保護となる。

国家扶養の義務。貧困にして実男子また養男子なき六十歳以上の男女、及び父または男子なくして貧困かつ労働に堪《た》えざる不具廃疾は国家これが扶養の義務を負う。

註一。実男子または養男子として婦人に扶養の義務を負荷せしめざる所以は、婦人は自己一人以上を生活せしむる労働力なき原則による。かつその女が他家に嫁《か》して余力ある者といえども、その老親の扶養を夫の資産労働に依頼せしむることは、父母の屈従不安を招きさらに婦人をして夫の前にその人格的尊重を傷《きず》つくるに至らしむ。すなわち婦人に老親を負担せしめざるは日本古来の不文律にして同時に婦人々権の擁護なり。

註二。実男子または養男子に貧困なる老親を扶養せしむるは欧米の贋的個人主義と雲泥《うんでい》の差ある者。彼《か》の「ロイドジョージ[*1]」氏の試みたる養老年金法案のごときは、国民の大部分が扶養すべき男子を有するがゆえに、日本においてはここに掲ぐる例外的不幸を除きて無用なる立法なりとす。

註三。不具廃疾者をその兄弟遠族または慈善家の冷遇に委するは不幸なる者に虐待を加うると同じ。その母または女子に負荷せしめざる所以は、愛情ありといえども扶養能力なきがゆえに、結局その兄弟または娘の夫の負担となりて立法の精神を殺す者となるを以てなり。

註四。兵役義務のために不具廃疾となれる者の国家扶養の義務は別に法律を以てその扶養を完うすべし。もとより別個の問題なり。

【編集部註】

＊1　デビッド・ロイド・ジョージ（一八六三～一九四五）。英国の政治家（自由党）。一九一六～二二年、内閣首班。

国民教育の権利。国民教育の期間を、満六歳より満十六歳までの十ヶ年間とし、男女を同一に教育す。

学制を根本的に改革して、十年間を一貫せしめ、日本精華に基く世界的常識を養成し、国民個々の心身を充実具足せしめて、おのおのその天賦を発揮し得べき基本を作る。

英語を廃して国際語《エスペラント》を課し第二国語とす。

女子の形式的また特殊的課目を廃止し小学、高等小学、中学校に重複するものを廃して一貫の順序を正しくす。

体育は男女一律に丹田《たんでん》の鍛冶《たんや》より結果する心身の充実具足に一変す。従って従来の機械的直訳的運動及び兵式訓練を廃止すべし。

男女の遊戯は撃剣柔道大弓薙刀鎖鎌等を個人的または団体的に興味付けたる者とし従来の直訳的遊戯を廃止す。

この国民教育は国民の権利として受くる者なるを以て無月謝教科書給付中食の学校支弁を方針とす。

男生徒に無用なる服装の画一を強制せず。

校舎はその前期を各町村に存する小学校舎とし、後期を高等小学校舎とし、一切物質的設備に浪費せず。

註一。男女とも中学程度終業を以て国民たる常道常識を教育せらるる者。ようやく文字を解し得るか得ざるかの小学程度を以て国民教育の終了とするは国民個々の不具と国家の薄弱を来《きた》す者なり。これ教育すべき国家の窮乏せると、教育せらるべき国民に余裕なかりしを以てなり。一貫したる十年間の教育は、その終了と同時に完全具足したる男女たるべく、さらにその基本を以て各その使命的啓発に向って進むを得べし。

註二。女子を男子と同一に教育する所以は、国民教育が常識教育にして、ある分科的専攻を許すべき年齢にあらざるとともに、満十六歳までの女子は男子と差別すべき必要も理由もなきを以てなり。従って女学校特有の形式的課目女礼式茶湯生花のごときまた女子の専科とせる裁縫料理育児等の特殊課目は全然廃止すべきものとなる。前者を強制するは無用にして有害なり。後者は各家庭において父母の助手として自ら修得すべし。女子に礼式作法が必須課目ならば男子にも男子のそれが然《しか》るべく、茶の湯生花が然るならば男子に謡曲を課せざれば不可。車夫の娘に「ビフテキ」の焼き方を教授し外交官の妹に袴《はかま》の裁《た》ち方を説明し、月経なき少女に育児を講義するごとき、今の女子教育の凡《すべ》ては乱暴愚劣真に百鬼夜行の態なり。学校は凡てにあらず。各人の欲するところに随い各家の生活事情に応じて学ぶべき幾多の者を有す。

註三。一切にわたりて英語を廃する所以。英語は国民教育として必要にもあらず、また義務にもあらず。現代日本の進歩において英語国民が世界的知識の供給者にあらず。また日本は英語を強制せらるる英領印度《インド》人にあらず。英語が日本人の思想に与えつつある害毒は英国人が支那人を亡国民たらしめたる阿片《あへん》輸入と同じ。ただ英語ほど普及せずしてしかも英語思想以上に影響を与えたる独乙《ドイツ》語によりてその害毒の緩和せられたる天裕を有するのみ。英語国民の浅薄なる思想を通じて空洞なる会堂建築として輸入されたる基督《キリスト》教。人格権の歴史的覚醒たる民主々義が哲学的根拠を欠如したる民本主義となりて輸入されつつある「デモクラシー」。英米人の持続せんとする国際的特権のために宣伝されつつある平和主義非軍国主義が、その特権を打破せんがために存する日本の軍備及び戦闘的精神に対する非難として輸入されつつある内容皆無の文化運動。単にこれらをのみ視《み》るも一利に対して千百害あること阿片輸入の支那を思わしむ。言語は直《ただ》ちに思想となり思想は直ちに支配となる。一英語の能否を以て浮薄軽佻なる知識階級なる者を作り、店頭に書冊に談話にその単語を捜入して得々恬々《とくとくてんてん》として恥無き国民に何の自主的人格あらんや。国民教育において英語を全廃すべきはもちろん、特殊の必要なる専攻者を除きて全国より英語を駆逐することは、国家改造が国民精神の復活的躍動たる根本義において特に急務なりとす。

註四。国際語を第二国語として採用する所以。しかしながら実に他の欧米諸国に見ざる国字改良漢字廃止言文一致羅馬《ローマ》字採用等の議論百出に見るごとく、国民全部の大苦悩は日本の言語文字の甚だしく劣悪なることにあり。そのもっとも急進的なる羅馬字採用を決行するとき、幾分文字の不便は免《まぬが》るべきも言語の組織そのものが、思想の配列表現において、ことごとく心理的法則に背反せることは、英語を訳し漢文を読むに凡て日本文が顛倒して配列せられたるを発見すべし。国語問題は文字または単語のみの問題にあらずして言語の組織根柢よりの革命ならざるべからず。しかして不幸なる幸は中学教育に英語を課し来れる慣習のために、その程度の教育者も被教育者も、何らかの言語を習得すべきことを必須的に確信せることとなり。国際語の合理的組織と簡明正確と短日月の修得とは世人の知るごとし。成年者が三月または半年にて足る国際語の修得が、中学程度の児童一二年にして完成すべきことは、英語が五年間没頭してなお何の実用に応ずる完成を得ざる比にあらず。児童は国際語を以て国民教育期間中に世界的常識を得べし。しかして欧米の革命的団体は大戦の遥《はるか》に以前これを以て国際語とせんと決議せし程の者。もっとも不便なる国語に苦しむ日本はその苦痛を逃るるためにまず第二国語として並用する時、自然淘汰の理法によりて五十年の後には国民全部が自ら国際語を第一国語として使用するに至るべし。従って今日の日本語は特殊の研究者に取りて梵語「ラテン」語の取扱を受くべし。

註五。国際語の採用が特に当面に切迫せる必要ありと云う積極的理由。下掲国家の権利に説くごとく、日本はもっとも近き将来において極東西比利亜濠洲等をその主権下に置くとき、現在の欧米各国語を有する者の外《ほか》に新たに印度人支那人朝鮮人の移住を迎うるがゆえに、ほとんど世界凡ての言語を我が新領土内に雑用せしめざるべからず。これに対して朝鮮に日本語を強制したるごとく我自ら不便に苦しむ国語を比較的好良なる国語を有する欧人に強制する能わず。印度人支那人の国語また決して日本語より劣悪なりと云う能わず。この難問題は実に三五年の将来に迫れる者なり。主権国民が西比利亜において露語を語り濠洲において英語を語る顚倒《てんとう》事をなす能わざるならば、日本領土内に一律なる公語を決定し彼らが日本人と語るときの彼らの公語たらしめざるべからず。劣悪なる者が亡びて優秀なる者が残存する自然淘汰律は日本語と国際語の存亡を決するごとく、百年を出《い》でずして日本領土内の欧洲各国語、支那、印度、朝鮮語はまた当然に国際語のために亡ぶべし。言語の統一なくして大領土を有することはただ瓦解に至るまでの槿花《きんか》一朝《いっちょう》の栄のみ。

註六。体育を丹田本位と決定する所以は、ただ肉体の一面のみを見るも根本的体育たるを以てなり。すでに日本の各方面に先覚者の簇出《そうしゅつ》して実証を示しつつあるところなり。これらに示さるるごとく印度に起りたる亜細亜文明は世界より封鎖せられたる日本を選びて天の保存したる者。単に手足を動かし器具に依頼し散歩遠足を以て肉体の強健を求むる直訳的体育は実に根本を忘れて枝葉に走りたる彼らの悪摸倣なり。特に女子をして優美繊麗のままに発達したる強健を得せしむるには丹田の根本を整《ととの》うる以外一の途なし。変性男子のごとき醜き手足を作りてしかも健康の根本を培《つちか》わざる直訳体操は特に厳禁を要す。

註七。兵式体操を廃止する所以は、その形式また実に丹田の充実を忘れたる外形的整頓に捉《とら》われたるによるも一理由なり。かつ下掲のごとく日本国民は永久に兵役の義務を有し、かつ一年志願兵特権はこれらの訓練あるを一理由となすを以てそれをも廃止するがゆえに、兵役においてすべきことは凡て兵営においてすべし。さらに他の一理由は日本の将来は陸上にあると同一以上の程度において海上にあるがゆえに、国民教育においてただ陸軍的摸倣をなさしめて海兵的訓育を閑却することの矛盾なるを以てなり。国民教育の要は根本の具足充実にあり。丹田本位の心身を鍛冶し十年間一貫の常識教育を施さば以て海兵に用うべく以て陸兵に用うべし。兵の素質において二等卒も今の少尉級に劣らず。

註八。単純なる遊戯として男子が撃剣柔道に遊び女子が長刀鎖鎌を戯《たわむ》るるはその興味において「ベースボール」「フートボール」等と雲泥の相違あり。精神的価値等を挙げて遊戯の本旨を傷《きずつ》くべからず。これは生徒の自由に一任すべし。現今の武器の前に立ちてこれらに尚武的価値を求むるに及ばず。日本人の一般生活に没交渉なる直訳的遊戯を課するの滑稽さは床柱を背にして小猿のごとく跪《き》坐《ざ》する洋服姿と同じ。

註九。国民教育の児童に対して無月謝、教科書給付、中食の学校支弁とする所以は、国家が国家の児童に対する父母としての日常義務を果すものなり。現今の中学程度における月謝と教科書とは一般国民に対する門戸閉鎖なり。無月謝より生ずる負担は各市町村これを負うべく、教科書は国庫の経費を以て全国の学校に配布すべし。中食の学校支弁の理由は第一に登校児童のために毎朝母を労苦せしめざることなり。第二の理由はその中食に一塊の

「パン」、薩摩芋、麦の握飯などの簡単なる粗食をなさしめ、以て滋養価値等を云々して真の生活を悟得せざる科学的迷信を打破するにあり。第三の理由は幼童の純白なる頭脳に口腹の欲に過ぎざる物質的差等を以て一切を高下せんとする現代までの悪徳を印象せしめざるにあり。学校としては簡単なる事務にして、もし児童の家庭が悪感化によりて食事を肯《がえ》んぜざる者あらば教師の権威を以てその保護者を召喚訓責すべし。

註一〇。今の中学程度の男生徒に制服として靴洋服を強制することは実に門戸閉鎖の有力なる一理由なり。その不合理なることあたかも現時の欧米に「キモノ」服が普及したるを以てそれを室内の制服として強制せんと云うと一般なり。和服の不便なる裁ち方なりと云うは別問題なり。居常の衣服を登校に用ゆるを得ざる大々的不便をその父母の経済に課して何の便不便ぞ。実に今の日本教育の凡ては教育にあらずして、ただ外形の摸倣なりとす。

註一一。校舎に巨費を投ずるはまた最悪なる直訳的摸倣なり。この国民教育の根本的革命は戒厳令施行中より実施すべき者なるを以て、現時の校舎を直《ただ》ちに使用すべきことを明示したり。器械的科目たる理化学においても今の中学校程度において別個の教室を設備するごとき摸倣的浪費の一。

註一二。以上の国民教育の説明によりて大学及び大学予備校の方針、またそれが生徒の自費たること等は推想し得べし。しかして不用なるべき各地の中学女学校舎はあるいはこれを取り毀ち、または大学予備校の校舎または単科大学の校舎となすを得。

婦人々権の擁護。その夫またはその子が自己の労働を重視して婦人の分科的労働を侮蔑する言動はこれを婦人々権の蹂躙と認む。婦人はこれを告訴してその権利を保護せらるる法律を得べし。

有婦の男子にして蓄妾またはその他の婦人と姦したる者は婦の訴によりて婦人の姦通罪を課罰す。

売淫婦の罰則を廃止しそれを買う有婦の男子はこれを拘留しまたは罰金に処す。

註一。現行法律における離姻の理由たる虐待云々の意味にあらず。かつこの訴は必ずしも離婚を目的とせず、実に婦人が男子の労働に衣食するかの誤解ありて、男子の労働がその実かえって婦人の分科的労働の助力あるがゆえに行わるるを忘却する横暴なる行為を禁じ、特に法律を以て婦人の人権を擁護する者なり。もしこの立法が男子の道念によりて行われざるならば忌《い》むべき婦人労働となり婦人参政権運動となるべし。

註二。男子の姦通罪を罰することは第一に一夫一婦たる国民道徳の大本を明《あきら》かにするがためなり。国家の興廃はことごとく男女の大本の清濁にあり。現時の欧洲諸国に「ノア」の洪水が来れる所以を考え、同胞残害して地獄を現世に示しつつある露西亜を考えよ。いかに早くすでにこの大本が腐爛し尽したるかを見ん。日本国民が全亜細亜の盟主たる大使命あるならば、人倫の大本を厳守励行する立法は実に一日を忘るべからず。第二の理由は国家が国家の児童に対して大父母たる立場においてその生みの父母は単なる保姆の任を負うものなり。保姆の一方が残虐なる苦痛を他の一方に加えて横暴と悲惨とを居常見聞せしめらるる児童の悪感化に対して、国家は大父母の権利において残虐なる一方を処罰すべし。第三の理由は婦人々権の擁護なり。

註三。この一夫一婦制の励行は彼《か》の自由恋愛論の直訳革命家と人生の理解を根本より異にせるものなり。彼れに従えば男子の姦通罪を罰する法律の代りに女子の姦通罪を罰する現行法律を廃止せば足れりと云うべし。自由恋愛論の価値は恋愛の自由を拘束する現代の政治的経済的宗教的阻害者を打破せんとする点にあり。これを途方もなき一夫一婦制に対する反逆と考うるは、あたかも政治的特権者に向って叫ばれたる政治の自由を平等なる国民間に脱線せしめて、相犯さざる各自の自由を蹂躪することも等しく政治の自由なりと云う低能者の昏迷なり。国民平等の自由が特権にあらざるごとく、一夫一婦制は何らの特権にあらず。自由は自由の侵害者を拘束せざるべからず。一夫一婦制は妻の恋愛を自由ならしめんがために夫の濫用《らんよう》せんとする恋愛の自由を拘束せんとするなり。彼らの昏迷せる自由の解釈は、自由を以て放火の自由殺人の自由も自由なりと結論せしむるものなり。凡ての自由が社会と個人その人の利益のために制限さるるごとく、恋愛の自由また国民道徳とその保護者とのために制限せらるるは論なし。この一夫一婦制は理想的自由恋愛論の徹底したる境地なり。ただし今はこれを説くの時期到来せず。

註四。現行法律が売淫婦人をのみ罰して買淫男子を罰せざるは、姦通罪が婦人をのみ罰して男子に及ばざると等《ひと》しき片務的横暴なり。貞操の売買はこの改造組織の後においては漸次《ぜんじ》消滅すべきことを信ずとともに、しばらくの近き将来に存在すべきそれらに対して、国家は両者ともに法律を以て臨まざる方針を取るべし。ただし有婦の男子が淫を買うは明かに一夫一婦の大本を紊《みだす》る者なるを以て別個の意味において加罰する者なり。拘留罰金を以てせるは婦の訴なき場合において姦通罪を検挙せざる原則による。かくして軽き国家の制裁を受くることによりて、男子は家族に対する権威を失し交友における信用を損する重大なる苦痛を受くるを以て自ら身を慎みまた以て婦人々権の擁護となり、全家族生活の保障を加うることとなるべし。

註五。独身の男子を除外せるは決してその性慾を正義化する所以にあらず。婦人が純潔を維持するごとく男子がその童貞を完《まっと》うして結婚することは双方の道義的責務なり。そのこれを罰せざる理由は、未婚婦人が純潔を破るも法律の干与せざると等しく道徳的制裁の範囲に属するを以てなり。

＊2　無政府主義者・大杉栄（一八八五～一九二三）のこと。自由恋愛論を唱え、内妻のほか運動家の神近市子や伊藤野枝と「四角関係」を結んだ。

国民人権の擁護。日本国民は平等自由の国民たる人権を保障せらる。もしこの人権を侵害する各種の官吏は別に法律の定むるところによりて半年以上三年以下の体刑を課すべし。未決監にある刑事被告の人権を損傷せざる制度を定むべし。また被告は弁護士の外に自己を証明し弁護し得べき知己友人その他を弁護人たらしむべき完全の人権を有すべし。

註一。人権を蹂躙してかえって得々《とくとく》たること我国の官吏のごときは少なし。これ欧米諸国より一歩を先んぜんとする国民的覚醒を裏切る大汚濁なり。体刑と明示せる所以はその弊風実に体刑を以てせずんば一掃する能わざる官吏横暴国なるを以てなり。この戦慄より来る反省改過は鏡に掛けて見るがごとし。

註二。未決監にある被告を予備囚徒として待遇しつつあることは純然たる封建の遺風なり。これを反対に無罪なる者と仮定するとき現時のごとき凌辱なし。警察また然《しか》り。要するに有罪を仮定するがゆえに未決期の日数を刑期に加算する等のことあるにて明かなり。この根本にして明白ならば未決監中の人権蹂躙は自らにして跡を絶つべし。

註三。被告人は罪人にあらず従って弁護人の自由を無視または制限さるる理由なし。特に職業弁護人と限らるるがために被告の平常事件の真相に通ずる者を以て直接に法官と対せしむる能わず。ために事件の監察、法の適用において遺憾多く、被告の不利及び延《ひ》いて法官の判断を誤り法の威厳を損傷する甚しき現状なり。

註四。社会主義者のある者のごとく一切の犯罪なき理想郷を改造後の翌日より期待するは空想なり。もとより現今の政治的経済的組織より生ずる犯罪の大多数は直ちに跡を絶つべきは論なし。国家の改造とはその物質的生活の外包的部分なり。終局は国民精神の神的革命ならざるべからず。十年一貫の国民教育が改造の根本的内容的部分なり。

勲功者の権利。国家に対しまたは世界に対して勲功ある者は、戦争政治学術発明生産芸術を差別せず、一律に勲位を受け、審議院議員の互選資格を得、著《いちじる》しく増額せられたる年金を給付せらるべし。婦人また同一なれば論なし。ただし政治に干与せざる原則によりて審議院議員の互選資格を除く。

註一。国民は平等なるとともに自由なり。自由とはすなわち差別の義なり。国民が平等に国家的保障を得ることはますます国民の自由を伸張してその差別的能力を発揮せしむる者なり。彼の勲位を忌み、上院制を否《いな》む革命的思想家は、人類の進化程度を過上に評価せる神学者的要求に発足する者なりと見るべし。

註二。勲功に伴う年金が現時のごとき消極的の小額なるは不可なり。凡ての光栄はそれを維持すべき物質的条件を欠くべからず。

私有財産の権利。限度以下の私有財産は国家または他の国民の犯すべからざる国民の権利なり。国家は将来ますます国民の大多数をして数十万数万の私有財産を有せしむることを国策の基本とするものなり。

註一。社会主義共産主義を誤解してその私有財産を分与するものなるかのごとく考え、または国民の凡てにその日暮らしその年暮らしの生活をなさしむる者と考うるがごときは、現実的改造の要求せられつつある現代社会革命説の躍進的進歩を解せざる者なり。従ってこの改造後の国民にしていかなる思想に導かるるにせよ、国民の財産権を犯す者は、人類社会の存する限り存すべき法律の原則によりて、強窃盗として罰せられまたは乞食として待遇せらるるは論なし。

註二。年々多大の収益ありて近く私産限度を超過すべくしかして超過額を国家に納付するを欲せざる目的を以て、限度以下の時において、自己自身の欲望に従いて消費せんとするはまた国民の権利なり。この権利は国家の保障する所有権の行使にしてその消費が道徳的なると酒色遊蕩なるとを問うの要なし。人はおのおのその人を中心または分子としたる小社会を国家内に有しある者は国境を超越したる大社会の中心または分子たり。従ってその消費せるところを収得する者は国家の手を経由せざる国民なり。私産限度制は国家と国民を害せざる程度の富の限度を定むる者のみ。これを誤解して限度超過額の上納を促す者とし、または国民の独自放胆なる消費を拘束する者と考うべからず。

平等分配の遺産相続制。特定の意志を表示せざる限り、父の遺産はその子女に平等なる分配を以て相続せらる。

父の妻たるその母また同じ。

母の遺産は夫たる父において凡て相続せらるべし。

註一。遺産相続の正義を規定するに見るも、合理的改造案が必ず近代的個人主義の要求を一基調とすることを知るべし。

註二。現代日本にのみ存する長子相続制は家長的中世期の腐屍のみ。父母の愛の百千分の一に足らざる長子の愛情利害に一切弟妹の運命を盲従せしむるは没人情の極《きわみ》。本然の人情そのものが凡ての法律道徳の根源なるを忘るべからず。

註三。遺産相続に際して国家が課税の理由なきことは、相続者すなわち被相続者の肉体的延長なるを以てなり。

巻七　朝鮮その他現在及び将来の領土の改造方針

朝鮮の郡県制。朝鮮を日本内地と同一なる行政法の下に置く。朝鮮は日本の属邦にあらず、また日本人の植民地にあらず。日韓合併の本旨に照《てら》して日本帝国の一部たり、一行政区たる大本を明《あき》らかにす。

註一。朝鮮をして日本の愛蘭土《アイルランド》たらしむるごときことあらば、将来大羅馬《ローマ》帝国を築かんとする日本は全然その能力なきことを第一歩において立証するものなり。由来朝鮮人と日本人とは米国内の白人と黒人とのごとき人種的差別ある者にあらず。単に一人種中もっとも近き民族に過ぎざるなり。従って過般の暴動[*1]と米国市中の黒白人争闘とを比較するときその恥辱の程度において日本は幾百倍を感ぜざるべからず。朝鮮問題は同人種間の問題なるがゆえにいわゆる人種差別撤廃問題の中に入らず。ただ一に統治国たる日本そのものの能力問題たり、責任問題たり、道義問題たりとす。

註二。朝鮮人が異民族たる点はその言語と風俗との一部なり。国民生活の根本たる思想においては有史以来日本の文明交渉が朝鮮を経由したるによりて明なるごとく全然同一系統に属する者なり。しかして現在吾人の血液がいかに多量に朝鮮人のそれを混じたるかは人類学上日本民族は朝鮮支那南洋及び土着人の化学的結晶なりとせらるるにても明白なり。特に純潔の朝鮮人の血液を多量に引ける者は彼と文明交渉の密接せし王朝時代の貴族に多く、現に公卿華族と称せらるる人々の面貌多く朝鮮人に似たるは凡《すべ》てその類型を現すものなり。すでに王朝貴族に朝鮮人の血液が多量なりと云うことは、実にその貴族の血液が皇室に入り得《う》べき特権階級たりし点において、日本の元首そのものが朝鮮人と没交渉にあらずと云うことなり。あえて今次の朝鮮太子と日本皇女との結合を以て日鮮の融合が試みらるるにあらず。これ決して人種問題の範囲にあらず。

註三。要するに凡ての原因は朝鮮が日本支那露西亜《ロシア》の三大国に介在して自立する能わざりし地理的約束と、その道義的廃頽より一切の政治産業学術思想の腐敗萎微を来《きた》して内外相応じて亡びたるものなり。朝鮮そのものの歴史が示すごとく、また清国がこれを属国とせんがために起りたる日清戦争、及び満洲に来たれる露西亜がそれを侵略せんとせしがために破れたる日露戦争に示すごとく、その亡国たるべき内外呼応の原因は統治者が日本たらざる時は露支両国の焉《いず》れかなりしは明白なり。日本の国防に取りて彼が日本の脅威たる強国の領有または同盟者たる危機は、あたかも英国に取りて白耳義《ベルギー》が独乙《ドイツ》の領土たり同盟国たるそれと同じき存亡問題なり。今次の大戦においてもし白耳義が独乙と握手ししかして英国の軍隊がそれを撃破して白耳義に滞陣せしとせよ。彼は講和会議においてその独立を承認せざるのみならず明《あきらか》にその領有を主張すべきは論なし。朝鮮の亡国的腐敗はことごとく事大的国是となりて現われ、日清戦争においては清国に従い、日露戦争においては露西亜を迎え、いささかも英国と白耳義の結托に似たる者なかりしは開戦原因を顧《かえりみ》れば明白なり。この間において彼の革命党のみは大局を達観し日本と結びて独立を企画して労苦止まざりしといえども、終《つい》に日露開戦に至るまで国政を把《と》りて志《こころざし》を行う能わざりき。しかして戦争中日本の朝鮮における立場は英国の白耳義におけるごとくならず、朝鮮全部を掩有《えんゆう》するに実力を以てしたり。国内の革命党は依然として志を得ず、露国また依然として強大を維持し講和条約は単なる休戦条約として調印せられたり。自立し能わざる地理的約束と真個契盟する能わざる亡国的腐敗のために、日本は露国の復讐戦に対する自衛的必要に基《もとづ》きて独立擁護の誓明を取消したる事が真相なり。これ侵略主義にあらず、また謂《い》うところの軍国主義にあらず。朝鮮を領有する結果より見て、あたかも百万円を貯蓄したる結果より見て、それが高利貸によると忠実なる労働によるとを考査せずして等しく守銭奴と詈り侵略者と誣《し》ゆるは昏迷者の狂言なり、重大なる罪悪なり。朝鮮の亡国史を知り露国の脅威に戦慄したる危機を顧るならば、愛蘭土独立問題を朝鮮に直訳して論及するの理なし。空疎守旧の学説と薄弱なる意志と衆愚の喝采を足れりとする虚栄と、実に通俗政治家の標本たる「ウィルソン」[*2]輩の通弁に得々《とくとく》たりしいわゆる学者なる者の反省を要す。

註四。ゆえに日本存立の国防上より朝鮮は永久に独立を考うべき者にあらず。露西亜の脅威が「ツアール」〔ツアーリ、皇帝〕の亡びたるを以て去れりと考うるごときは歯牙《しが》に足らざる浅慮。「ツアール」が侵略し来れると「レニン」が幾多の謬妄《びゅうもう》を附帯せる社会革命説を奉じて殺到し来るべきと、日本が国防上朝鮮に拠《よ》りて戦うことは国家の国際的権利なり。特に露西亜の脅威は過渡時代の「レニン」にあらずして「レニン」無き後真に再建せらるべき十年後の将来に存す。ようやく中世史の革命を学びつつある未開後進なる彼に対するには現代的再建を想像するよりも、反動の襲来または真乎の建国者によりて「ピーター」大帝〔ピョートル大帝〕の再現をも打算外に置く能わず。

註五。この国防上朝鮮を独立せしめずと云うことは、英人が印度《インド》を独立せしめずまた亜弗利加《アフリカ》植民地を独立せしめずと云うこととはまったく別事なり。印度が英国の属邦たり英領亜弗利加が植民地たるに対して、朝鮮は日本の属邦にあらずまた植民地にあらずと明示せし所以《ゆえん》なり。印度または亜弗利加の住民が全然英人と人種を異にせるに対して、日鮮人は古来の混血融合のみならず同一人種中のもっとも近き異民族なる点において属邦たるべからずまた植民地たるべからず。朝鮮は日本の一部たること北海道と等しくまさに「西海道」たるべし。日本皇室と朝鮮王室との結合は実に日鮮人の終《つい》に一民族たるべき大本を具体化したる者にして、泣く泣く匈奴《きょうど》に皇女を降嫁せしめたる政略的の者にあらず。実に現時の対鮮策なるものは甚《はなは》だしく英国の植民政策を摸倣したるがゆえに、根本精神よりして日韓合併の天道に反するものなり。朝鮮が日本の西海道なる所以を明《あきらか》にするとき百般の施設ことごとく日鮮人の融合統一を来さざる者なく、独立問題のごとき希《ねが》うといえども生起せざるは論なし。

註六。「コルシカ」島民の大皇帝〔ナポレオン一世〕は「コルシカ」独立の戦陣に孚《う》まれ、独立の憤を抱きて敵国の士官学校に学べり。しかも革命仏蘭西《フランス》が「コルシカ」を仏蘭西の本国と平等ならしめ「コルシカ」島民を仏蘭西人の自由に開放するや、独立党の青年士官は仏蘭西に対する愛国心を「エルバ」島に葬るまで変ぜざりき。日本海を庭池として南北満洲と極東西比利亜《シベリア》とに革命大帝国を建つる時、朝鮮は特にその心臓肺肝の重きをなさんとす。日本々国の一部としての平等、日本人としての自由を対鮮策の眼目となす。

【編集部註】

＊1　三・一運動。一九一九年一月に米大統領ウィルソンがヴェルサイユ講和会議で提唱した「民族自決主義」を受け、同年三月一日、朝鮮半島の京城（現、ソウル周辺）で宗教指導者たちが独立宣言をしたことをきっかけに、全土に広がった独立運動。

＊2　米大統領ウッドロー・ウィルソン（一八五六〜一九二四）。第一次世界大戦後、国際連盟設立など戦後体制構築に携わった。

朝鮮人の参政権。約二十年後を期し朝鮮人に日本人と同一なる参政権を得せしむ。

この準備のために約十年後より地方自治制を実施して参政権の運用に慣習せし

む。

註一。これ流行のいわゆる民族自決主義にあらざるは論なし。朝鮮が日本の西海道たり朝鮮人が日本人と大差なき民族たる理由によりて、日本国民たる国民権を最初にかつ完全に賦与せらるるを明かにする者なり。

註二。奈翁の世界統一主義に対して起れる民族主義が近世史の一大潮流なりしは言うの要なし。ただこれが彼《か》の暗昧《あんまい》なる「ウィルソン」の口より民族自決主義と呼ばるるに至りて空想化し滑稽化したるなり。自決とはそもそも何ぞや。ある民族がその国家組織を失う所以は外部的圧迫と内部的廃頽とによりて自決する力を欠けるがためなり。覚醒せる民族が内部的興奮によりて外部的圧迫を排斥せんとする時、これ無用なる自決の文字を加えざる伝来の民族主義なり。幾多の民族の中において自決するを得る覚醒的民族と然らざる者とあるは、あたかも等しき人間の中において自決する能わざる八十歳の老婆あり十歳の少女あるがごとし。民族主義の本旨は人道主義と云うがごとき合理的命題なり。これを民族自決主義と名《なづ》くるに至りては人道主義の命題に代うるに人間自決主義と云うがごとき笑倒の沙汰。老幼男女を論ぜず各人の人格を認識する人道主義を滑稽化して八十歳の老婆にも生活を自決せしむべく十歳の少女にも恋愛を自決せしむべしと云わば如何《いかん》。ある民族は老婆のごとくある民族は少女のごとし。この国際間における民族の老幼をも圧迫し虐遇せざるべき人道主義がすなわち民族主義の終局理想たるべき者なり。現時の強国中各種老幼の民族を包有せざる者なきこと各家庭において老婆少女を有するがごとし。これらに向って自決を迫らば各家庭の分散すべきごとく一切の強国は分解すべし。強国の無用を云うか。然《しか》らば「ウィルソン」は「ヴェルサイユ」に行かずして瑞西《スイス》の社会党大会[*3]に列席すべかりしなり。しかしてその主張を堂々たる非国家主義世界統一主義に宣明する彼らは大なる歓迎を以て噴飯《ふんぱん》すべきこの命題の製造者を嘲弄すべし。

註三。実に朝鮮は合併以前自決の力なかりしことは八十歳の老婆のごとく、合併以後いまだ自決の力なきこと十歳の少女のごとし。末節枝葉においていかなる非難あるにせよ、朝鮮は露西亜の玄関に老婆のごとく窮死すべかりし者を、日本の懐《ふところ》に抱かれて少女のごとく生長しつつあるはこれを無視する能わず。すでに日本の懐に眠れる以上、日本建国の天道によりて一点差別なき日本人なり。日本人とし日本人たる権利においてその生長とともに参政権を取得すべき者なるは論なし。

註四。約十年と云い約二十年と云う年限を予定したるは、過去の専制政府等が民権運動に譲歩するときなるべく長く専制を維持せんと欲する期間の留保にあらず。数百年間の半亡国史は実に朝鮮人の道念をも生活をも腐敗し尽したるを以て、真の国家的覚醒ある鮮人はこれを現在新精神によりて教育せられつつある人々の生長に待つの外《ほか》なきを以てなり。教育とは必ずしも「サーベル」教師にあらず。必ずしも日本語の教科書にあらず。愛国的暴動のごときこれを覚醒して顧《かえりみ》るとき貴重なる政治教育の一なり。医学に万能の薬品なきに係《かかわ》らず政治学に参政権を神権視することは欧米の迷信なり。彼《か》の投票神権説に累《るい》せられて、鮮人にまず参政権を与えて政治的訓練をなすべしと考うるは、その権利の根本たる覚醒的生長を閑却したる愚人の云為《うんい》*4なりとす。日本は真個父兄的愛情を以て、かかる短時日間にこの道義的使命を果たし、以て異民族を利得の目的とせる白人のいわゆる植民政策なるものに鉄槌一下せざるべからず。

＊3　一九一五年に開催されたヨーロッパ十二カ国の社会主義者の会合であるツィンマーバルト会議。レーニンやトロツキーらが参加し、後に結成されるコミンテルンの源流になった。

＊4　言葉と行為。

三原則の拡張。私有財産限度私有地限度私人生産業限度の三大原則は大日本帝国の根本組織なるを以て現在及び将来の帝国領土内に拡張せらるる者なり。

註一。東洋拓殖会社[*5]の横暴は実に当年の東印度会社に学ばんとする一大罪悪なり。日本の亜細亜《アジア》に与えられたる使命は英人の罪悪を再びするを許さず。東洋拓殖会社の土地は土地私有限度によりて一度国家に徴集するとともに、朝鮮にある内鮮人は平等の権利においてその分配を受くべし。日本建国の精神は内外人によりて正義を二にせざることを誇りとす。朝鮮におけるいわゆる拓殖政策なる者また実に欧人の罪悪的制度を直訳したる者多し。日本は凡てにおいて悪摸倣より蟬脱《せんだつ》してその本に返らざるべからず。

註二。将来の帝国領土中、先住国民の大富豪大地主ありて多大の土地を独占しまたは生産業を専有する時これを是認するごときあらば、日本国家はただ彼らの不義なる財産の保護を負担せしめられ、日本国民はただその小作人たり労働者たるに過ぎざるべし。これ主権国民たる自負と欲望において忍ぶ能わざるところ。ためについに国家の法律を枉《ま》げて自国民を保護し彼らの財産を奪わんとする非違を頻出し不仁の名を国家に冠せしむるに至る。ゆえに日本々国においてまずこの三大原則を確立して拡張せられたる領土に臨むとき、真の公平無私は自らにして得べし。大領土を有する名実具足の大日本帝国を考うる者この三大原則を確立する日本自らの改造が実に将来の建設に避くべからざる準備なるを悟得すべし。

＊5　一九〇九年に朝鮮で設立された日本の国策会社。一〇年の日韓併合後、土地の

買収を進め、朝鮮半島における最大の地主となった。多くの朝鮮人農民を小作に没落させたという評価もある。

現在領土の改造順序。 朝鮮台湾樺太等の改造はこの三大原則を決定するに止《とど》め、漸を追いてその余を施行し、十年ないし二十年後において日本人と同一なる生活権利の各条を得せしむるを方針とす。ただし日本内地の改造を終《おわ》り戒厳令を撤廃すると同時に三大原則の施行に着手す。

これらの領土内に在郷軍人団なきを以て、国家任命の改造執行機関をして土地資本財産の調査徴集に当らしむ。改造執行機関は日本内地の改造に経験を得たる官吏または同じき在郷軍人団中より任命す。

註一。日本の改造を終りたる後に着手する所以は、無智と事情不通とのために日本内地と同時に着手するときは、内地の紛闘《ふんごう》を誤伝したる不安騒擾を醸すべきを以てなり。第二の理由は在郷軍人団なる好適の機関なく、今の植民政策的頭脳の総督府等にこの大任に当らしむるは明白に不正不義を残して改造の精神を傷《きずつ》くるのみならず、あるいは意外の変を招くべきを以てなり。第三の理由は三年間の日月は日本の整然たる改造組織を伝聞せしむるに十分なるがために、日本大多数国民の歓喜を伝えて彼らの大多数国民また速《すみやか》にその福利恵沢に浴せんことを欲するに至るべきを以てなり。

註二。過般朝鮮の内乱は今の総督政治が一因ならずとは云わず。しかも根本原因は日本資本家の侵略が官憲と相結びて彼らの土地を奪い財産を掠《かす》めて不安を生活に加え怨恨を糊口《ここう》の資に結びたることに存するを知らざるべからず。「ウィルソン」輩の呼号何の影響あらん。国家の内外を毒して終《つい》に大羅馬をも亡ぼしたる者の金権政治なりしことを忘るべからず。

改造組織の全部施行せらるべき新領土。 将来取得すべき新領土の住民がその文化において日本人とほぼ等しき程度にある者に対しては、取得と同時にこの改造組織の全部を施行すべし。ただし日本々国より派遣せられたる改造執行機関

により て改造せらるる者なり。

その領土取得の後移住し来れる異人種異民族は、十年間居住の後国民権を賦与せられ日本国民と同一無差別なる権利を有すべし。

朝鮮人台湾人らのいまだ日本人と同一なる国民権を取得すべき時期に達せざる者といえども、この新領土に移住したる者は居住三年の後右に同じ。

註一。例えば濠洲を取得したる時その住民の文化程度は直《ただち》にこの改造組織の下に生活するを得べし。極東西比利亜《シベリア》のごときはその程度まず三大原則を施行し順を追いて施行すべき者なり。


註二。将来の新領土は異人種異民族の差別を撤廃して日本自らその範を欧米に示すべきは論なし。濠洲に印度人種支那民族を迎え、極東西比利亜に支那朝鮮民族を迎えて先住の白人種とを統一し、以て東西文明の融合を支配し得る者地球上ただ一の大日本帝国あるのみ。従ってこの改造組織をそれらの領土に施行して主権国民自ら私利横暴を制するとともに、先住の白人富豪を一掃して世界同胞のために真個楽園の根基を築き置くことが必要なり。

単なる地図上の彩色を拡張することは児戯なり。天道宣布のために選ばれたる日本国民はまさに天譴《てんけん》に亡びんとする英国の二の舞をなさざるは論なし。

註三。朝鮮人台湾人がその故郷にありていまだ取得する時期に達せざる国民権をこの領土において三年後に取得し得べき理由は、すでに移住し居住するほどの者は大体において優秀なるを以てなり。第二に白人の新移住者印度人支那人の移住者が取得するところを、すでに早く日本国民たりし彼らに拒絶すべき理由なきを以てなり。第三の理由は東西文明の融合を促進するために、特に日本の思想制度に感化せられたる彼らの移住を急とするがゆえなり。

註四。日本人の改造執行機関を以てして土着人に当らしめざる所以は主権本来の性質として説明の要なし。

巻八　国家の権利

徴兵制の維持。国家は国際間における国家の生存及び発達の権利として現時の徴兵制を永久にわたりて維持す。

徴兵猶予一年志願等はこれを廃止す。

現役兵に対して国家は俸給を給付す。

兵営または軍艦内においては階級的表章以外の物質的生活の階級を廃止す。

現在及び将来の領土内における異民族に対しては義勇兵制を採用する者あるべし。

註一。支那において傭兵と云う者英米において義勇兵と名付《なづ》く。すなわち雇傭契約による兵士なり。これ彼らの国民精神に適合する制度なり。米国の建国が社会契約説を理想として植民せる者の契約結合なるは前説のごとし。英国また実にその謬説《びゅうせつ》の誕生地なるを以て、今なお「ジョンブル、ソサイテー」と名《な》づくるごとく英帝国そのものを組合視し会社視してことごとく社会契約説に基《もと》づく立法ならざるなし。従ってその国防においても組合と組合員との間に雇傭契約を締結するは、米の建国として、また英の国家組織として少しも不可なし。しかもこのゆえを以て「ヴェルサイユ」会議において英米が傭兵制度を日本に強《し》いたるは何たる迷妄ぞ。日本は建国精神より、また現代国民思想の凡《すべ》てにおいて、日本帝国を契約によりて組織したる者と一考せしこともなし。日本国民の国家観は国家は有機的不可分なる一大家族なりと云う近代の社会有機体説を、深遠博大なる哲学的思索と宗教的信仰とにより発現せしめたる古来一貫の信念なり。徴兵制度の形式は独仏に学びたるも、徴兵制度の精神たる国民皆兵の義務は、中世封建の期間を除きて、上世建国時代に発源しさらに現代に復興して漲溢《ちょういつ》しつつある国民的大信念なり。日本の講和委員は何がゆえに英米と日本とが国民精神の根本、国家組織の信念より異にする所以《ゆえん》を指摘して、日本国民本有の国家有機体的信仰を彼らに訓《おし》ゆることなかりしか。徴兵制そのものが直《ただち》にいわゆる軍国主義にあらざる事は、徴兵制なりしがゆえに辛《かろ》うじて独逸《ドイツ》を防止するを得たる仏蘭西《フランス》が、会議の人々より軍国主義なりしとて攻撃せられざりしがごとし。日本の講和委員は何がゆえに「カイゼリスム」と日本の国家有機体的信仰より結果せる国民皆兵主義とを混同して臨みし無智の昏迷者に学ばしむるところなかりしか。軍国主義なるか否かは傭兵と徴兵とによりて決せらるる者にあらず。軍備に依頼して弱国を併呑し以て私欲をほしいままにせんとする意味の者が軍国主義ならば、かつて陸上において独逸が然りしごとく、海上において英国のなしつつある者は実に遺憾なく完成したる海上軍国主義なり。この軍国主義が、単に自己が問題外なる傭兵制なりと云うの理由を以て、他の徴兵によりてかかる軍国主義者の侵害を防衛せんとする者に己《おのれ》の冠を冠せんとせしは悪《にく》むべし。彼の愚昧なる善人がかかる悪魔の喇叭《ラッパ》卒に使役せられてそれを日本に向って吹きしことは米国史上空前の恥辱なりとす。

註二。従って傭兵と徴兵との強弱を論ずることは無用なる詮議なり。英米の国情においては必ずしも強兵を意味せずして、日本の建国と信念とにおいては傭兵は必ず弱兵なるは論なし。これ徴兵制を明確に永久の制度なりとせる所以なり。ただ独逸が最後に破れたるがゆえに徴兵制の価値を疑うは非常なる妄断なることを注意す。一人と五人と角力《すもう》してすでに三人を倒したる者が他の二人より足を奪われたるを見てその人を弱者なりと云う能わず。特に独逸の実戦したる軍隊は徴兵制の仏蘭西と露西亜《ロシア》にして、甲の徴兵国が乙の徴兵国に破られたりと云い得《う》べし。今次の大戦における英米はただ海上封鎖によりて食料と軍需品とを遮断したる任務に働きし者。英米の傭兵と独逸の徴兵との優劣は実戦によりて立証せられたるものにあらず。ただ退却将軍の報告文として古今独歩の文豪「ヘーグ」[*1]元帥によりて英国傭兵の光栄は十分に認知せられたるは周知のごとし。

註三。ある理想またはある信仰に基きて徴兵を拒否せんとする者の欧米に多きを以て、日本が国家の権利として主張するを非議する者あらん。しかしながら政治の自由、経済の自由、恋愛の自由が他の社会的生活を犯さざる自由の意味において、思想の自由、信仰の自由また絶対的の者にあらざるは論なし。自由の誤解せる解釈より来る思想の自由、信仰の自由は、自由恋愛説の註に説明したるところを移して直に説明とするを得《う》べし。思想または信仰の点を考うるとき、実に価値なきまたは有害なる者を神のごとく裁決し得るの大処に立つを要す。印度人が生殖器の形像たる「リンガム」を頸《くび》に掛け寡婦が自ら薪《たきぎ》を抱て夫に殉死することを天国に行く道なりと信仰すとも、西蔵《チベット》人蒙古人が諸神と動物との生殖行為の彫像図画を礼拝して極楽行を信仰すとも、基督《キリスト》教徒中の旧教一派が一度結婚したる者の離別は地獄の火に焼かると信仰すとも、これらの信仰が信仰なるがゆえに自由なりと認むる能わざることは、恋愛なるがゆえに自由なりと認むる能わざると同じき意味と程度において然《しか》り。思想信仰の価値はその民族精神または世界思想に戦いて凱歌を挙《あげ》たる時に認めらるる者なり。戦の中途においてまたは退却あるいは降伏の状態において信仰の自由を鳴号《めいごう》するごとき信仰は、終《つい》に十字架上「我れ勝てり」として国家と世界の上にその自由を建設する価値なき者なり。彼の兵役忌避を本旨とする「クエーカー」宗のごときは、小乗教の基督においてすら天国の戦を指し、地上においてなお我れ刃《やいば》を出さんがために来れりと宣して終に羅馬を天火に亡したる一面を有するに係《かかわ》らず、ただその殺すなかれの一項を盾として盲守するに過ぎざる者。[*2]同じき一神教において「マホメット」は刃を出さんがために来れるを明言して「殺すべし」と教ゆるにあらずや。「コーラン」とともに剣を示して殺すべしと云う信仰と殺すなかれと云う信仰とを両立せしむるに、libertyなる「アルファベット」七個に依頼せんとするがごとき浅薄なる信念にて何の信仰ぞ。「クエーカー」宗の価値は天理教より遥かに以下にして「リンガム」礼拝よりいささか以上なる程度の者なり。彼らの信仰が強固にして犠牲を甘んずる事例を挙げて対抗するならば宗教の低級なる者においてかかる例の他に無数なる者を挙ぐべく、さらにかく頑迷移さざる者多きがゆえに殺すべしと云う回教の信仰によりて答えざるべからず。神は全智にして全能なるがゆえに、古《いにし》え「ノア」の洪水を以て大殺戮をなし、現時また六月二十八日に始まりて六月二十八日に終れる五年間の屍山血河あり。[*3]神を信じてしかも殺すことを否む「クエーカー」宗徒は、神の能力と智見がこの殺戮を防ぐ能わざりし完《まった》き者にあらずと云う信仰根本の矛盾に立つ者。基督その人すら彼れの弟子らに向いて明《あきら》かに「我が神」「汝の神」として神そのものに自他彼此《かれこれ》大小高級を差別したり。日本国民の神は「クエーカー」教徒の神に対して弥陀《みだ》の利剣を揮《ふる》うべきのみ。生死の煩悶を天空に求むるごとき低級極まる小乗的信仰を以て、印度文明の密封せられたる宝庫としてようやくまさに二十世紀の今日を待ちて開かれんとする日本民族の大乗的信仰に対せんとするごときは、実に竜車に向う蟷螂《とうろう》の斧《おの》。信仰すでに然り。いわんや学者文士輩の口耳より濫造せられたる思想なる者の自由をや。将来「クエーカー」宗のごときまた浅薄なる非戦主義のごときを輸入して徴兵忌避を企《くわだ》つる者あらば、刑罰は断々としてそのもっとも重き者を課して可《か》なり。

註四。徴兵猶予一年志願兵等は現時の教育的差等より結果せる者なるを以て、十年一貫の国民教育によりてこれらを存置する善悪一切の理由は消失すべし。特にその兵質が、前註説明のごとく今の少尉級に匹敵すべきを以て自ら現役年限の短縮となるべく、一年または一年半の軍隊的軍艦的訓練はいかなる専門的使命ある者も身心の根源を培養してその使命の大成を準備せしむる者なり。今の徴兵猶予は速成学士の「ローズ」[*4]物を官庁会社に売出さんとする現経済組織より来れる者。特に彼らのほとんど凡《すべ》ては今の大学教育なる高等職業紹介所に入ることを以て一種の特権階級のごとく考え、心裏実に徴兵忌避の私《わたくし》を包蔵してその猶予を求むる者ならざるはなし。この一点を寛過するは実に国家の大綱を紊《みだ》る者。他に百利ありと仮想するも存置せしむべき除外例にあらず。

註五。現役兵に俸給を給付すべきは国家の当然なる義務なり。俸給が傭兵のそれとまったく別個の義なるは論なし。国民の義務にせよ、父母妻子の負担ある男子よりその労働を奪いて何らの賠償をなさざることは国家の権利を濫用する者なり。この権利濫用の下に血涙《けつるい》を呑みし爆発は現前に見る露西亜の労兵会[*5]の蹶起《けっき》なり。軍隊の強盛を念とする軍事当局すらこの強兵をなす根源を提唱する者無く、凡ての国民は国民の義務なる道念に忍びて一にただ忘却に封じつつあるとき、兵卒そのものが憤恨に爆発するの日はすなわち労働者と結合したる労兵会の出現ならざるべからず。「ボルセヴィキ」

はこれを防ぐべく、「ボルセヴィキ」を必然する義務の忘却は可《か》なりと云うの理《ことわり》なし。あるいは国庫の負担堪えざるを云わん。然らば多大なる俸給による傭兵を以て戦いし英米を見よ。生産各省の収入優に余りあり。

註六。兵営または軍艦内における将校と兵卒との物質的生活を平等にする所以は自明の理なり。古来将は卒伍の飲食に後《おく》れて飲食すと云うがごとく、口腹の慾《よく》に過ぎざる飲食に差等を設けて部下の反感を平時に養成し戦時にも改めざるごときはほとんど軍隊組織の大精神を知らざる者なり。敗戦国または亡国の将校が常に兵卒の粗食飢餓を冷視して己《おの》れ独り美酒佳肴を列《なら》べしは一の例外なき史実なり。これに反して皇帝に堕落せざる以前の奈翁軍の連勝せし精神的原因は、彼の無慾とその物質的生活が兵卒と大差なかりし平等の理解に立ちしがゆえなり。日本のもっとも近き将来は奈翁の軍隊を必要とす。乃木《のぎ》〔希典《まれすけ》〕将軍が軍事眼より見て許すべからざる大錯誤をなして彼の大犠牲を来たせしに係《かかわ》らず、彼が旅順《りょじゅん》包囲軍より寛過されし理由の一は己れ自ら兵卒と同じき弁当を食いし平等の義務を履行せしがゆえなり。士卒を殺して士卒に赦《ゆる》さるる将軍は日本のもっとも近き将来において千百人といえども足れりとせざる必要あり。まさかに兵卒と同じき飲食にては戦争に堪えずと云う者あるまじ。これその飲食をなす兵卒が戦争する能わずと云うもの。かかる唾棄《だき》すべき思想が上級将士を支配するとき、その国の往くべき唯一の途《みち》は革命か亡国かなり。労兵会を作らしむべき宮廷の権臣と腐敗将校とは、実に日本に「レニン」の宣伝を導くべき内応者なりと云うべし。ただし家庭等の隊外生活において物質的差別あるべきは、兵卒が等しくその範囲において貧富に応じたる自由あるがごとし。

【編集部註】

＊1　ダグラス・ヘイグ（一八六一～一九二八）。第一次世界大戦のイギリス軍総司令官だが、ソンムの戦いやパッシェンデールの戦いで大敗を喫した。

＊2　凡例編集部註＊3参照。

＊3　第一次世界大戦のこと。一九一四年六月二十八日のオーストリア皇太子暗殺をきっかけに勃発し（宣戦布告は同年七月二十八日）、一九年六月二十八日のヴェルサイユ講和条約調印で終了した（休戦は一八年十一月十一日）。

＊4　ろうずもの。欠陥品、商品として不適格なもの、の意。
＊5　巻二編集部註＊5参照。

開戦の積極的権利。国家は自己防衛の外《ほか》に不義の強力に抑圧さるる他の国家または民族のために戦争を開始するの権利を有す。（すなわち当面の現実問題として印度の独立及び支那の保全のために開戦するごときは国家の権利なり）。国家はまた国家自身の発達の結果他に不法の大領土を独占して人類共存の天道を無視する者に対して戦争を開始するの権利を有す。（すなわち当面の現実問題として濠洲または極東西比利亜を取得せんがためにその領有者に向って開戦するごときは国家の権利なり）。

註一。近代に至って世界列強が戦争を開始せんとするときことごとく自他を欺《あざむ》く旧道徳的名分を掲げ、またはこれを自己防衛の口実に求むるは国家生活の権利を半解するより来る卑怯なり。真の徹底的理解は自らにして正々堂々たる宣布となる者。日本が積極的発展のために戦うことの単なる我利私欲にあらざることは、他の民族が積極的覚醒のために占有者または侵略者を排除せんとする現状打破の自己的行動が正義視せらるるごとく正義なり。自利が罪悪にあらざることは自滅が道徳にあらざると同じ。従って利己そのものは不義にあらずして他の正当なる利己を侵害して己を利せんとするに至って正義を逸《いっ》す。正義とは現在の状態そのものにあらざるは論なし。英国が印度を牛馬視して己を利しつつある現状が正義にあらざるごとく、日本及び近接の亜細亜七億の民族より濠洲を封鎖しつつある現状は同一なる不義なり。支那を併呑《へいどん》し朝鮮を領有せんとしたる「ツアール」の利己が当時の状態において不義なりしごとく、広漠不毛の西比利亜を独占して他の利己を無視せんとするならば「レニン」政府現在の状態また正義にあらず。正義とは利己と利己との間を画定せんとする者。国家内の階級争闘がこの画定線の正義に反したるがために争わるるごとく、国際間の開戦が正義なる場合は現状の不義なる画定線を変改して正義に画定せんとする時なり。英国は全世界に跨《また》がる大富豪にして露国は地球北半の大地主なり。散粟《さんぞく》*6の島嶼《とうしょ》を画定線として国際間における無産者の地位にある日本は、正義の名において彼らの独占より奪取する開戦の権利なきか。国内における無産階級の闘争を認容しつつ独り国際的無産者の戦争を侵略主義なり軍国主義なりと考うる欧米社会主義者は根本思想の自己矛盾なり。「ヒュース」が労働者出身なりとも、「レニン」が社会主義者の尊敬すべき同志なりとも、国際的対立より見て彼らが〔大地主〕[*7]たることは、昔時魚売たりし大倉喜八、貧書生たりし加藤高明が無産階級より見て富豪たると同じ。国内の無産階級が組織的結合をなして力の解決を準備しまたは流血に訴えて不正義なる現状を打破することが彼らに主張せらるるならば、国際的無産者たる日本が力の組織的結合たる陸海軍を充実し、さらに戦争開始に訴えて国際的画定線の不正義を匡《ただ》すこともまた無条件に是認せらるべし。もしこれが侵略主義軍国主義ならば日本は全世界無産階級の歓呼声裏に黄金の冠としてこれを頭上に加うべし。合理化せられたる民主社会主義そのものの名においても日本は濠洲と極東西比利亜とを要求す。いかなる豊作を以てすとも日本は数年の後において食うべき土地を有せず。国内の分配よりも国際間の分配を決せざれば日本の社会問題は永遠無窮《むきゅう》に解決されざるなり。

ただ独逸の社会主義にこの国際的理解なく、かつ中世組織の「カイゼル〔ドイツ皇帝〕」政府に支配せられたるがために、英領分配の合理的要求が中世的組織の破滅に殉《じゅん》じて不義の名を頒《わか》ちたることを注意すべし。従って今の軍閥と財閥の日本がこの要求を掲ぐるならば独逸の轍《わだち》を踏むべきは天日を指すごとし。改造せられたる合理的国家、革命的大帝国が国際的正義を叫ぶときこれに対抗し得べき一学説なし。

註二。印度独立問題は来るべき第二世界大戦の「サラエウォ」*8なりと覚悟すべし。しかして日本の世界的天職は当然に実力援助となりて現るべし。たとい英国が彼らのいわゆる自治を許容して「ジョンブル、ソーサイテイ」の組合を脱せしめざらんと計《はか》るときも、彼にして全然没交渉なる独立を欲して蹶起するならばもとより然《しか》るべきは論なし。大戦中における印度独立運動の失敗は凡て日本が日英同盟の忠僕たりしがためにして、従って英国が一時的全勝将軍たるがために瞬時雌伏《しふく》するに過ぎず。しかして日本の実力援助につきて大方針とすべきは海上においてのみ彼の独立を援護することなり。印度の独立はなお米国の独立のごとし。米国の十三洲独立戦はその始め常に英兵に敗られつつ幾年を経過したる後、もっとも有力なる実力援助を与えたる仏蘭西海軍が英国海軍を「メーン」岬に決定的に撃破して陸兵輸送を不可能ならしめたることに存《そん》す。外力の援助なくして植民米人が戦うべき武力を有せざりしごとく、一切の武器を奪われし印度独立軍に対してほしいままに鎮圧軍を輸送せしむるならばその独立は永久に期待すべからざる者なり。実に米国の独立を決定したる者が仏蘭西海軍なりしごとく、印度独立の能否を決定する者は一にただ英国海軍を撃破し得べき日本及び日本の同盟すべき国家の海軍力如何《いかん》にあり。日本の陸軍援助は多く有用ならず。かえって戦後における利権設定等の禍因《かいん》を播《ま》き、印度そのものよりは何らの報謝を求めざる天道宣布の本義に汚点を印しやすきはあらかじめ深く戒《いまし》むべし。「レニン」政府のなお存続して陸上よりの援助を仮想すとも、決定的成否はすでに海軍力を喪失せる露国にあらず。日本はこの改造に基《もとづ》く国家の大富力を以て海軍力の躍進的準備を急ぐべし。日英両国は中立的関係に立つ能わずして、彼の従属的現状を維持するか彼の分割を結果する征服者たるかの二なり。日本が永遠に政治的言語的思想的属邦として印度の志士を屠《ほふ》らんとせば止《や》む。国を挙げて道に殉ずる天道の使徒として世界に臨まんとせば、英国の海上軍国主義を砕破するに足るべき軍国的組織は不可欠なり。「カイゼル」は海上にあり。これ仏蘭西が陸上の英国に対して軍国的組織を放棄し得ざりし所以。日本に加冠せられたる軍国主義とは印度独立の「エホバ」なり。この万軍の「エホバ」を冒瀆して誣《ふ》妄《ぼう》を＊9逞《たくま》しゅうするいわゆる平和主義なる者は、その暴戻悪逆《ぼうれいあくぎゃく》を持続せんとして「エホバ」の怒《いかり》を怖るる悪魔の甘語なりとす。英人を直訳する輩は「レニン」を宣伝するよりも百倍の有害なり。

註三。支那はまた大戦の結果によりて急転直下純然たる印度たらんとす。日本が印度の独立を欲するごとく支那の保全を希《ねが》うならば、眼前に迫れる支那と英国との衝突は日英同盟を存立せしめざる者なり。英国が早くすでに支那を財政的准保護国とせることは説明の要なし。たとい平家全滅の前の隆盛のごときにせよ、英国が今次の大戦において本国を脅威せし独逸と、印度を脅威せし露国とに恐怖なきに至れることは、支那において二国がまた同様なる脅威を満蒙《まんもう》と青島《チンタオ》より加えたる恐怖を除去したる者なり。英国は日本を外にして支那に恐るべき実力を見ず。しかして日本の奴隷的臣従は大戦中と講和会議とにおいて彼の十分に安意したるところ。すなわち彼は西蔵《チベット》独立の交渉中に青海《せいかい》四川《しせん》甘粛《かんしゅく》の一部を包有する要求を加え来れり。これ日露戦争によりて露西亜が南下の途を日本の満洲に塞《ふさ》がれたるがゆえに、直路中央亜細亜より中部支那に殺到せんとせし大道の継承を要求する者。印度を基点としてすでに阿富汗《アフガン》に及び波斯《ペルシャ》に及びたる彼が中央亜細亜に進出するは論なく、極東海上の基点香港《ホンコン》と相応して中部支那以南の割取を考え始めたるは明白なり。これ往年露西亜の満洲に進出したるよりも支那の一大危機。しかして支那保全主義を堅持する日本は彼との衝突において、その支那経略の根拠地香港の有害なることは、日露戦争における旅《りょ》順《じゅん》浦塩斯徳《ウラジオストック》の根拠地に優るとも劣らず。彼は日本の口舌的抗議等を眼中に置かず天下無敵の全勝将軍として支那に臨むべし。これ単なる推定にあらず。事実を以て立証せらるるの日はすなわち日英両国が海上に見ゆるの日なり。支那保全における日英開戦はすでに論議時代にあらざるなり。

註四。日本は支那において東洋の独逸を学ばんとする野心国なりと云う世界の批評に対して男子的に是認ししかして男子的に反省し改過すべし。周知のごとく英独協商は香港を根拠とせる英国と青島を根拠とせる独逸とが、支那分割の亜弗利加《アフリカ》大陸のごとく実現すべきことを確信して、北支那を独逸に中央支那以南を英国に妥協したる者なり。彼の津浦《しんぽ》鉄道[*10]が南北に分割されて列車を直通する能わず、南段の英資に対して北段の独資なるはまず投資的分割に現われたる者。然るに今次の大戦中において日本は独逸の青島を領有して支那に還附せざらんことを企つるとともに、独逸の投資を継承し、さらに北支那に投資的侵略を学びたること、ことごとく独逸の跡を追う者ならざるはなし。天道は甲国の罪悪を罰して乙国の同一なるそれを助くる者にあらず。日本が東洋の独逸なりと云われ、独逸と等しき軍国主義侵略主義の国なりと云われ、列国環視の間「ウィルソン」輩の口舌に萎縮して面上三斗の汗を拭《ぬぐ》うの恥晒《はじさら》しをなせし者ことごとくこれ天意。あえて軍閥内閣と党閥内閣とに差等を附するの要なし。明治大帝なき後の歴代内閣のなすところことごとく大帝降世の大因縁たる日露戦争の精神に叛逆せざる者なし。一幸徳秋水のみが大逆罪にあらず。その罪まさに大帝の陵墓を発《あば》くの大逆政策を改めずして支那の排日を怒り米国の排日に憂えなおかつ茫々然として天佑を夢《ゆめみ》む。彼らは講和会議において英国の保護を蒙《こうむ》りて独逸の利権を継承することを認容せられたるとき相賀して「国難去れり」と云えり。何ぞ然らん。英国は英独協商の相手方を日本に代えたるがゆえに、今や該協商の目的たりし中部支那以南の領有を現実ならしめんとしてここに青海四川甘粛を包有せる西蔵独立の要求となりて現れたるなり。早くすでに揚子江《ようすこう》流域は英国の勢力範囲なりと云わるる今日、日本を相手方として英独協商を日英協商として支那に臨む時、明治大帝は何のために日露大戦を戦いしかを解すべからざらんとす。日本は「ヴェルサイユ」に救われたる同盟の誼《よしみ》によりて英国の支那本部併合に報謝すべしと云うか。排日の声が支那と米国とに一斉に挙れる所以は日露戦争によりて保全されたる支那と、日露戦争を有力に後援して日本に支那を保全せしめたる米国とが、天に代りて当年の保全者に脚下の陥穽《かんせい》を警告する者なり。驕児《きょうじ》「カイゼル」は世界的排斥に反省せずして陥穽に墜落したり。米支両国の排日に省悟一番して日露戦争の天道宣布に帰る時、日本は排日の実に天寵《てんちょう》限りなきを見るべし。英国の恩恵の下に青島に租借地を得るよりも、英国そのものの香港を奪いて日本の海軍根拠地とせよ。香港に根拠せば青島のごときは無用の長物なり。山東苦力《クーリー》として輸出せざるべからざるほどに人口漲溢《ちょういつ》せる支那の貧弱なる一角に没頭するよりも、支那そのものより広大にして豊饒なる英国の濠洲を併合せよ。日本に取りて支那はただ分割されざれば足る。四千年住み古したる支那を富源なるかのごとく垂涎《すいぜん》する小胆国民にして、いかぞ世界的大帝国を築くを得べき。日本が首を擡《もた》げて英領を直視する時、支那の排日は根本的に永久的に跡を絶つべし。

註五。この支那保全主義の徹底より見る時、日本の極東西比利亜領有は日本の積極的権利たると同時に、支那を北方より脅威せる露西亜の伝統的国是を打破する者。日本が東清《とうしん》鉄道[*11]を取得して、極東西比利亜とを結合する時、内外蒙古は支那自らの力を以て露国の侵略を防禦するを得べし。かくして日本は北に大なる円を画きて支那を保全し、支那また日本の前営たるべし。露西亜の外蒙古進出に押されて日本また内蒙古に進出して防備を試みんとする軍閥の支那保全策は、ある程度において支那を保全しつつある程度において支那を分割する者。その無策と不徹底と断じて亜細亜聯盟の盟主たるべき器にあらず。特に「セミョノフ」[12]輩を用いて内外蒙古の独立を策しつつあるごときは誠に小策士の陰険手段。国家の有する開戦の積極的権利を心解せば公々然日本及び支那の必要を主張して「レニン」その人に向って極東西比利亜の割譲を要求すべし。「チェック、スローバック〔チェコスロバキア／現在はチェコとスロバキアに別れている〕」援助[13]の口実の蔭《かげ》に国家の当然なる権利を隠蔽《いんぺい》するがゆえに野心を包蔵《ほうぞう》すとなして敵味方の警戒を受くるなり。日本の対外行動は取るべからざる者より寸土《すんど》を得ざるとともに、天日照覧《しょうらん》の下苟《いやしく》も奪うべくんば全地球をも大なりとせざるべき大丈夫の健脚に立つべし。

註六。要するに日本は日本海朝鮮支那の確定的安全のために、すなわち日露戦争の結論のために、極東西比利亜を領有すべく露西亜に対する大陸軍を欠くべからず。しかして印度独立の援護、支那保全の確保、及び日本の南方領土を取得すべき運命の三大国是において、英国と絶対的に両立せざるがゆえに実に大海軍を急務とす。もし今次の大戦に際して大西郷あり明治大帝ありしならば、独逸の陸軍と東西呼応して一挙露国を屈服せしめ、海軍また東西に相分れて英国艦隊を本国と印度濠洲との防備に両分せしめ十分なる優勢を持しておのおのこれを撃破し、朞年《きねん》〔一年〕ならずして早くすでに北露南濠に大帝国を築きたりしはず。独逸の敗因実にその始めにおいて背後に迫れる露軍のために巴里《パリ》占領の好機を逸し、さらに英国艦隊全部を本国に集中せしめたるがために一挙根本を屠《ほふ》る能わざるのみならず、かえってその艦隊を「キール」軍港に封鎖せられて国内物資の空乏を来しわずかに潜航艇戦の窮策に訴うるや、またかえって米国を脅威してこれを敵に駆りしに基く。開戦当初より露の陸軍と英の海軍とを両分し得べき日本一国の向背実に世界大戦の勝敗を決したるを見るべし。日本は明《あきら》かに英独の間に「キャスチングヴォト〔キャスティングボート〕」としてその力を以て独逸を亡ぼし英国を活かせし者。然るを挙国一致この天寵を逆用してかえって両立すべからざる敵国の犬馬に就《つ》き、救国の恩主倒《さかさ》まにその脚下に俯伏して糞土に値せざる小群島と一青島とを哀訴す。国政を執って国を亡ぼさんとするかくのごとき者に加うべき大逆罪の法文なきを如何《いかん》せん。

註七。ただ一大事因縁を告ぐ。「ヴェルサイユ」における調印は独逸を目的として聯合したる列強が、さらに英国を第二の独逸として新たなる聯合軍を組織すべき天与の一大転機。日本は米独その他を糾合して世界大戦の真個決論を英国に対して求むべしと云うことこれなり。講和会議は印度洋の波《は》濤《とう》を「テーブル」とすべし。米国の恐怖たる日本移民。日本の脅威たる比利賓《フィリピン》の米領。対支投資における日米の紛争。一見両立すべからざるかのごときこれらが、その実いかに日米両国を同盟的提携に導くべき天の計らいなるかのごとき妙諦《みょうてい》は今これを云うの「時」にあらず。一にただこの根本的改造後に出現すべき偉器に待つ者なり。天皇に指揮せられたる全日本国民の超法律的運動を以てまず今の政治的経済的特権階級を切開して棄つるを急とする所以の者、内憂を痛み外患に悩ましむる凡ての禍因ただこの一大腫物に発するを以てなり。日本は今や皆無か全部かの断崖に立てり。国家改造の急迫は維新革命にも優《まさ》れり。ただ天寵はこの切開手術において日本の健康体なることにありとす。

*6　粟粒のように島が散らばるさま。
*7　定本では「彼らがたることは」とあるのを、『国家改造案原理大綱』で補う。
*8　サラエボ（現ボスニア・ヘルツェゴビナ）。第一次世界大戦の引き金となったオーストリア皇太子が暗殺された地。
*9　ありもしないことを言いふらすこと。
*10　中国の天津と浦口を結ぶ鉄道。この鉄道施設における外資導入をめぐりドイツとイギリスが対立した。
*11　日清戦争後、ロシアが満州に敷設した鉄道。
*12　グリゴリー・ミハイロヴィチ・セミョーノフ（一八九〇～一九四六）。コサック騎兵として第一次世界大戦に従軍。ロシア革命後、赤軍と戦い反革命政府をザバイカル州に樹立。シベリアに出兵してきた日本軍の支援を受けたが、一九二〇年に敗れて国外に亡命。第二次世界大戦後、満州でソ連軍に逮捕され処刑された。
*13　ロシア革命後、日本軍を含む連合軍は、ウラジオストックにあったチェコ軍団（ロシアの敵国だったオーストリア・ハンガリー帝国軍のチェコ人及びスロバキア人捕虜で編制された部隊）救出を名目としてシベリアに出兵した。

結　言

「マルクス」と「クロポトキン」とを墨守《ぼくしゅ》する者は革命論において羅馬法皇《ローマ》を奉戴《ほうたい》せんとする自己矛盾なり。英米の自由主義がおのおのその民族思想の結べる果実なるごとく、独人たる「マルクス」の社会主義、露人たる「クロポトキン」の共産主義が幾多の相異扞格《かんかく》*1せる理論を以て存立することは、おのおのその民族思想の開ける花なり。その価値の相対的の者にして絶対的にあらざるはもちろんのこと。

ゆえに強《し》いてこの日本改造法案大綱を名《なづ》けて日本民族の社会革命論なりと云う者あらば甚《はなは》だしき不可《ふか》なし。然《しか》しながらもしこの日本改造法案大綱に示されたる原理が国家の権利を神聖化するを見て「マルクス」の階級闘争説を奉じて対抗し、あるいは個人の財産権を正義化するを見て「クロポトキン」の相互扶助説を戴《いただ》きて非議せんと試むる者あらば、それは疑問なく「マルクス」と「クロポトキン」の智見到らざるのみと考うべし。彼らは旧時代に生《うま》れその見るところ欧米の小天地に限られたるのみならず、浅薄極まる哲学に立脚したるがゆえに、躍進せる現代日本より視《み》る時、単に分科的価値を有する一二先哲に過ぎざるは論なし。過去に欧米の思想が日本の表面を洗いしとも、今後日本文明の大波濤《はとう》が欧米を震撼《しんかん》するの日なきを断ずるは何たる非科学的態度ぞ。「エジプト」「バビロン」の文明に代りて希臘《ギリシャ》文明あり。希臘文明に代りて羅馬文明あり。羅馬文明に代りて近世各国の文明あり。文明推移の歴史をただ過去の西洋史に認めて、しかも二十世紀に至りてようやく真に融合統一したる全世界史の編纂が始まらんとする時、独り世界史と将来とにおいてのみ、その推移を思考する能わずとするか。印度《インド》文明の西したる小乗的思想が西洋の宗教哲学となり、印度そのものに跡を絶ち、経過したる支那またただ形骸を存して独り東海の粟《ぞく》島《とう*2》に大乗的宝蔵を密封したる者。ここに日本化し、さらに近代化し世界化して、来《きた》るべき第二大戦の後に復興して全世界を照《てら》す時、往年の「ルネサンス」何ぞ比するを得《う》べき。東西文明の融合とは日本化し世界化したる亜細亜《アジア》思想を以《もっ》て今の低級なるいわゆる文明国民を啓蒙することに存す。

天行健《てんこうけん》*3なり。国は興《おこ》り国は亡ぶ。欧洲諸国が数百年以上に「ジンキス」汗「オゴタイ」汗ら蒙古《もうこ》民族の支配を許さざりしごとく、「アングロサクソン」族をして地球に闊歩《かっぽ》せしむるなお幾年かある。歴史は進歩す。進歩に階梯《かいてい》あり。東西を通じたる歴史的進歩において、おのおのその戦国時代に亜《つ》ぎて封建国家の集合的統一を見たるごとく、現時までの国際的戦国時代に亜ぎて来るべき可能なる世界の平和は、必ず世界の大小国家の上に君臨する最強なる国家の出現によりて維持さるる封建的平和ならざるべからず。国境を撤去したる世界の平和を考うる各種の主義はその理想の設定において、これを可能ならしむる幾多の根本的条件すなわち人類が、さらに重大なる科学的発明と神性的躍進とを得たる後なるべきことを無視したる者。全世界に与えられたる現実の理想は何の国家何の民族が豊臣徳川たり神聖皇帝たるかの一事あるのみ。日本民族は主権の原始的意義、統治権の上の最高の統治権が国際的に復活して、「各国家を統治する最高国家」の出現を覚悟すべし。「神の国は凡《すべ》て謎を以て語らる」*4。かつて土耳古《トルコ》の弦月旗ありき。「ヴェルサイユ」宮殿の会議が世界の暗夜なりしことはそれを主裁したる米国の星旗が黙示《もくし》す。英国を破りて土耳古を復活せしめ、印度を独立せしめ、支那を自立せしめたる後は、日本の旭日旗《きょくじつき》が全人類に天日の光を与うべし。世界の各地に予言されつつある基督《キリスト》の再現とは実に「マホメット」の形を以てする日本民族の経典と剣なり。

日本国民は速《すみや》かにこの日本改造法案大綱に基《もと》づきて国家の政治的経済的組織を改造し以て来るべき史上未曽有の国難に面すべし。日本は亜細亜文明の希臘としてすでに強露波斯《ペルシャ》を「サラミス」の海戦[*5]に砕破したり。支那印度七億民の覚醒実にこの時を以て始まる。戦《いくさ》なき平和は天国の道にあらず。

大正八年八月稿於上海

北　一輝

【編集部註】

＊1　互いに違っていること。

＊2　緒言編集部註＊2参照。

＊3　自然の進行は規則正しく正確に進行しているとの意。『易経』の言葉。

＊4　新約聖書「ヨハネによる福音書」第八章十節のイエスの言葉「あなたがた〔イエスの弟子たち〕には神の国の秘密を悟ることが許されているが、他の人々にはたとえを用いて話すのだ。それは『彼らが見ても見えず、聞いても理解できない』ようになるからである」による（「マタイによる福音書」十三章十〜十七節、「ルカによる福音書」第八章十節にも同様の記述あり）。

＊5　アテナイやスパルタなど古代ギリシャの都市国家連合軍がペルシャの艦隊を破ったサラミスの海戦（紀元前四八〇年）を日本海海戦になぞらえている。

附録

対外国策に関する建白書

恭《きょう》恐《きょう》頓首《とんしゅ》　一書奉呈示候　薄徳菲才を顧みず、あえて尊厳を冒《おか》す所以《ゆえん》のもの誠《まこと》に対外国策の重大事、黙過《もっか》傍観に堪えざるがゆえに御座候《ございそうろう》。希《ねがわ》くば篤《とく》と御熟議の上千障万難を排して御断行有之度《これありたく》、伏して奉切願候《せつがんたてまつりそうろう》。

直言すれば近時十数年間、我が帝国の対外策において、その根幹たり眼目たり精神たる者なく、ために歴代政府の対外策ことごとく、ただその日暮しその時の風次第と云う状態の継続に御座候。これ閣下らも偽《いつわ》りなき御心事において御肯定の事と存上《ぞんじあげ》候。かの満洲事変以来国際聯盟の一顰一笑を以《もっ》ていかに帝国朝野の一喜一憂とせしか。一《いち》にこれ対外根本策の皆無空虚のゆえに政府みずから信ぜず、国民また安《やす》んぜざるより来《きた》るところと存上候。不肖自身また率直に告白して政府を信ずる能《あた》わず国民とともに安んずる能わざる者なりと申上《もうしあ》げざるを得ず候。

然《しか》らばいかがすべきか。これに対し多くは日米戦争あるのみと申し候。然しながら日露戦争または独仏戦争と云うがごとき日米二国間に限定せられたる戦争を思考するごときは現代世界においてあり得《う》べからざる事に御座候。日米戦争を考慮する時は、すなわち日米二国を戦争開始国としたる世界第二大戦以外思考すべからざるは論なし。すなわち米国及び米国側に参加すべき国家とその国力を考慮せずしては、経国済民の責に任ずる者の断じて与《くみ》する能わざるところと存上候。不肖かつて海軍の責任者に問う。対米七割の主張は良し。もし米国海軍に英国の海軍を加え来る時、将軍らはよく帝国海軍を以て英米二国のそれを撃破し得るかと。答えて曰《いわ》く、不可能なり。一死以て君国に殉《じゅん》ぜんのみと。不肖歎じて独語すらく、君国は死を以て海軍に殉ずる能わざるをいかにせんと。

これ切《せつ》に閣下らの御熟慮を請わんとする点に御座候。日米戦争に際して英国は、ある場合において開戦当初より米国の側に参加すべし。ある他の場合においては日本に悪意ある中立を持《じ》しつつ米国の軍器軍需に巨利を博したる後、米国側に立ちて参加すべし。これ過《す》ぐる大戦において米国が英国に参加したるよりも容易かつ必然なる可能に御座候（日英同盟の廃棄事情、その後の英米対日関係及び支那ならびに英領亜細亜《アジア》における関係等）。然らば現状のままにおける日米開戦論者は日本対英米戦争論者として、もっとも警戒を要する論議または行動なりと見做《みな》さざるを得ずと存上候。

さらに別個の一敵国あり。ソビエット露西亜《ロシア》は日米開戦の翌日を以て断じて日本の内外に向《むか》って全力を挙げて攻撃を開始すべし。これソビエット露西亜の大方針にして、日米戦争すなわち世界第二大戦を捲起して以て彼の亜細亜攪乱ならびに世界攪乱の大目的を達成せんとするは言うまでもなき事に御座候。彼はこれを世界革命と申居《もうしおり》候。不肖は彼と今の支那との関係につき特に深甚なる御注意を喚起せられたく存候。実に日本は国際聯盟を以て支那に対する認識不足と申候《もうしそうら》えども、日本自身が今の支那政府とソビエット露西亜との関係につきて至重至大なる根本点を認識せざることを驚き入る者に御座候。

すなわち世界大戦終了後、突如颶風《つむじかぜ》のごとく起《おこ》りたる支那の排日熱、排日政策は何故の者に御座候哉。もちろん日本が大戦参加の唯一の戦利品たる青島《チンタオ》が米国の恫喝によりて、なんの苦もなく支那に奪取せられたる軽侮より生起したる事は事実に御座候。支那は以来日本を以て米国の一喝によりて、何らなす能わざる弱小国としてその軽侮を年々に増加し、日本また米国の前に自ら軽侮を重ねて支那の軽侮に値する事を進んで立証し来り候。この点において支那の排日政策が米国の支持援助を基調として進展し遂行せられたることは論ずるの要なき儀に候。しかしながらこの形勢を看破し以て乗ずべき国策を確立したる者はソビエット露西亜に御座候。彼は当時近東及び印度《インド》に向け来れる世界攪乱の鉾《ほこ》を転じて排日の支那にその指導と援助とを注集《ちゅうしゅう》仕《つかまつり》候《そうろう》。生前の孫文《そんぶん》及び死後彼の精神と党国とはその全部を挙げてソビエット露西亜の成功に随喜し、その革命理論と組織とを輸入継承致《いたし》候《そうろう》。認識の要点は大正八年に御座候。しかして彼我の往来密《ひそ》かに繁く、終《つい》に幾百万金の援助によりて広東の一角に蟠《ばん》居《きょ》し、長江《ちょうこう》に出《い》で、ボロジン[*1]らを迎え、さらに北伐の完成を告《つ》ぐるや、ソビエット政府そのままの党国政府なる者[*2]を形成して今日に至り候。すなわち国民性による唯物主義事大主義の彼らは革命前期において米国を倣《なら》いて大総統制と共和制を試みたることを一拋して、今や議会も共和政をも廃止して一党団を以て国家を掌握する今の党国政府なる者を作り上げ候。

共産主義が支那に行われ居らざることはなお、ソビエット露西亜に行われ居らざるに等《ひと》し。露西亜と支那に実現せられたる者はただ一つ党国を以て国家を掌握して放たざる奇怪なる制度これのみに御座候。今の新支那の政府がその南京の者と広東の者*3とを問わず、かくしてその呱々《ここ》の誕生より北伐統一の現時まで、すべての指導と援助とを蒙《こうむ》りしとせば、その対日本方針においてまた当然ソビエット露西亜の忠実なる遵奉者なるべきは論なき議に御座候。否《いな》。支那自らすでに米国の支持を青島奪取の現実に見て以来勇敢に日本排撃を国策とし来《きた》れるにおいては、露西亜はその期待せる日米戦争を排日の支那より導火せんと試むることは当然に候。支那は終《つい》に米国の日本攻撃を期待して皇軍の兵馬を自家の南北に迎えたり*4。日米は未だわずかに一戦を免《まぬ》かれつつあるのみ。ソビエット露西亜たる者自らの大計画の奏功したる日米開戦を見ん時、支那の対日抗争を千倍せしめ日本内地の共産党とともに日本に攻撃を開始せんことは一点の疑問だになし。実に大戦終了大正八年以来の支那の排日政策が一面米国に交渉を有するほかに、その根本においてソビエット露西亜の日米戦争を爆発せしめんとせる長久深甚なる計画によりて行われたる者なることを御承知有之度《これありたく》候《そうろう》。認識はすべて皮相または枝葉末節にわたるまじく候。日本対英米大戦の場合においてソビエット露西亜が日本に対して頑固執拗なる敵国たるべきは明白なりと言わんよりも、ボルセビーキの魔手支那を導火線として日米両国を爆破せんとするに存すと考うることの方かえって至当なるかに存候（日本が米国その他の列強に対し、この根本点の理解を与えざりしことを遺憾と存候）。要するに米露いずれが主たり従たるにせよ、日米戦争の場合においては英米二国の海軍力に対抗するとともに支那及び露西亜との大陸戦争を同時にかつ最後まで戦わざるべからざる者と存候。米国と英国とが日本に屈せざる以前において露支両国の無抵抗的に処理せらるべきを言う者のごときはすこぶる危険なる児童輩と存候。

　然り。いわゆる日米戦争は英米露支対日本の戦争なりとせば、我が帝国はこの災禍より免かれんとするのほかなきか。閣下。これを免かれんとする対外策は大正八年より昭和六年秋に至るまでの日本歴代政府の方針――無方針の方針なりと存候。仮に名《なづ》けてこれを衰亡政策と云うべく、一挙日本を破滅せしめんとする恐怖より優れりとして歴代政府の墨守し来れるところの者に御座候。ヴェルサイユ会議よりワシントン会議を経てロンドン会議に至るまでの対外策を見よ。すべて米国と及びその背後の英国とに恐怖したる衰亡政策に御座候。支那に続出したる百千の不祥事に対していかに無恥《むち》無慙《むざん》なる忍従を事としたるかを見よ。衰亡政策の墨守に御座候。支那を攪乱し朝鮮を煽動し、さらに大帝国の君主国体と国家組織の破壊顚覆を日本の本国に試みたる共産党検挙において、その指揮命令計画及び資金のすべてがソビエット露西亜より出でたることの明白なる証拠堆積せるに拘《かかわ》らず、今なおその公表を禁じ、いまだ一片の抗議問責の挙に出でざるを見よ。万世一系の帝位帝権をすら冒さるるに忍び得べくんば、何の帝国か衰え、しかして亡びざるを得んや。上下ことごとく一日の安を貪《むさぼ》って大帝国衰亡の道に迷うことまさに十有余年。皇天の加護、終《つい》に三千年の国魂いまだ滅せずして秋天一夜満洲の天地を震憾して躍出したり。日本は昭和六年九月十八日[*5]を以て明《あきら》かにルビコンを渡り候。江南の大軍いまだ屯《たむろ》して帰らずといえども衰亡政策の道は閉じて再び返える能わず、前路大光明と大危機に直面したる者に御座候。

閣下。然らば汝《なんじ》は汝の恐れ戒しむるところの英米露支対日本の大戦を提唱する者にあらずやと。もとより然り。以下の建白特に秘事に属する者に有之《これあり》、文書の記載に躊躇致《いたしそうら》候えども大要を略述仕《つかまつりそうろう》候。

不肖は始めに歴代政府の対外策において根幹たり眼目たり精神たる者なきことを以て一切の禍根なりと申上候。四境ことごとく敵国たるべき形勢に置かれて、しかもそれらを牽制し、または攻撃し得《う》べき同盟国を考慮せざる外交なる者、世に有之《これあり》候や。かつて考慮し計画したるときは笑うべき日英同盟の継続運動とその恥ずべき失敗に候。大戦後米国が日本及び亜細亜に脅威を感ぜしむるまでの勢力となりしがゆえに、ある他の同盟国を必要とするにおいて、これを英国に求めたりとは何たる無智昏迷の沙汰に候や。米国を顧慮して日本と攻防をともにする能わざる同盟国が日本に何の必要ありとするか。日英同盟は英国側よりその継続を拒絶せられたる通りに対米関係において当初より日本の思考だもすべき性質の者にあらず候。（今なお日米戦争論者中英国の好意またはその米国との利害不一致を打算する者無之《これなく》とせず沙汰の限りに御座候）。由来日本朝野の対外的頭脳は中学生徒が外国語すなわち英語と考うるごとく、英米二国以外の大陸諸国を考慮し能わざるよう伝統化し鉱物化したるにあらざるかと存候。

　死児の齢を数うるは詮《せん》なき事なるも死児の齢を数えんとするは人の情に御座候。過去の歴代当局が英米以外の大陸諸国を考慮する識見雄才ありしならば、世界大戦参加の第一歩において当時の独乙《ドイツ》を深甚に注意すべきはずなりしは今日となりてこれを言う者の通りに御座候。ために日本は何者をも得ず一青島をも得ず、得たるところは支那の排日とにわかに強大化したる米国の日本に加うる脅威のみに御座候。何《なん》ぞ死児の齢ならんや。一昨年のロンドン会議の醜態に見よ。自己と利害行動をともにすべき仏蘭西《フランス》を見捨てて独り英米の膝下に媚《こび》を呈し、かえって前《さ》きにすみやかに脱退せる仏蘭西が遥かに優勢なる比率を以てその潜水艦を維持せるは如何。閣下。世界大戦前において独乙を考慮すべかりしよりも深甚に重大に、今の日本帝国にとりて興亡を決するものは仏蘭西共和国に御座候。不肖はロンドン会議を覆轍《ふくてつ》の戒《いましめ》として今次のジュネーヴ軍縮会議に出席したる諸氏にこの事を切言し来れる者に候。昨春五六月の交より要所枢機の諸氏に向って口耳密かに語るところのものは一に唯《ただ》日仏同盟の一事に有之《これありそうろう》候。爾来、奉天の事変あり、上海の兵伐あり、日米の間まさに戦雲低迷せんとするに至って、痛切に不肖の提言を是認考慮する者多きを加え、他面日仏の懽交天の意ありて然るかのごとき甘密を増長せる風を見聞仕《つかまつりそうろう》候こと、恐らく終《つい》に時期到来を示す者のごとく存候。

平和を愛する者は米国貴婦人と米国々務卿とのみに限らず、日本国民のもっとも然るところに御座候。ただ米国が今の強大を以て、その背後に英国の海軍力を恃《たの》み得ることが彼の側より何時にても平和を破り得る恐怖に有之《これあり》候。日本対米国に限られたる戦争ならば、いささかも日本の怖るるところにあらざるがゆえに米国の側より平和を破ることも有之《これある》まじく、太平洋は必ず太平の海なるべくを確信仕《つかまつりたく》度候。日本に対する英米二国の海軍力を仮定するがゆえに、ワシントン会議に日本を辱かしめて足らず、ロンドン会議に繰返して足らず、奉天の事上海の事一々を挙げて平和を破るの口実を見出さんとする者と被存《ぞんぜられ》候。仏蘭西との同盟は米国が日本に対して平和を破り得ざるよう英国を牽制し得るための者に御座候。英国の艦隊を加算せずして米国が日本に攻撃を加うるがごときはその貴婦人と国務卿のあえてせざる冒険と存候。仏蘭西は世界大戦の反覆を防止するがために、真に日本の提言を世界絶対平和の保証として受取るべきは十分に推想し得べしと存候。

日本が根本国策を有せざる通りに、大戦以後世界列強のいずれもが国策の根本たるものを把握せずして盲動しつつあることが事実に御座候。米国の日本に対する事々物々の暴慢無礼もまた根本策なきよりの盲動に有之候。特に仏蘭西に至りては日本と同等なる四顧暗澹《しこあんたん》たる者と存候。自己と不倶戴天《ふぐたいてん》の独乙を復興せしめんとして努力止《や》まざる英米両国に対し、彼は痛切に生死栄枯をともにし得べき真の友邦を求め来れる者に御座候。大戦後の英仏関係は大戦前の英独関係なるは申すまでもなし。英国が米国を率いて仏国に加うる時彼の受くる孤立的脅威は今の日本帝国と符合するところのものに御座候。日本が米国に対して平和保障の牽制力を有することは、欧洲において英仏間の平和を保障せしむる者に御座候。

然らば日仏同盟は今の無用有害なる国際聯盟に代《かわ》りて全世界の平和を保証する者と可相成候《あいなるべくそうろう》。古今の史上来るべき戦争の前において必ず各種各様の会議協商等行われ、ために会合を重ぬるに従いて利害感情等の不一致衝突等を重ね、かえって以て戦争勃発の動因を作る者に有之候。ワシントン会議、ロンドン会議等がいかに日本を憤恨せしめ、米国また日本の憤恨が己《おの》れに出《い》で、己れに返えるものなることを忘れて日本に戒め、終《つい》に今日見るごとき日米間に不祥なる感情を醞醸《うんじょう》せしめたるごとし。国際聯盟また甚しく然り。君子は危きに近づかずの通りに日本は仏蘭西とともに世界の平和を荷《にな》いて、禍因重畳《かいんちょうじょう》せる聯盟または軍縮会議等の危地に遊ばざるを可《よ》しと存上候。日仏同盟成立の日は日本は仏蘭西とともに百ダースの国際聯盟よりも世界の平和と正義と人道とに奮進《ふんしん》すべき重大事を有し居候《おりそうろう》。

すなわちボルセビーキ国家の根本的処分に御座候。排日の支那を導火線として日米両国を爆破せんとする陰謀は前述の通りに候。前年欧洲の秩序がいかに彼によりて脅かされたるかを考うる時、日本及び亜細亜の蒙る脅威はその体験によりて同情するところなるべしと存候。否、仏蘭西は独乙より受くる償金よりも遥かに正当なる債権を露西亜に対して有するはずの者に候。強盗に奪われたる財宝が時効によりて強盗の所有権を認定せらるるごとくに、仏蘭西は自己の債権を奪取せる強盗を承認したりとは何事ぞ。日本の軽率無理解なる承認が彼を余儀なくせしめたりとは然るべし。しかも日本が「衰亡政策」を取りしがゆえに我また衰亡を政策とせざるべからずとは仏蘭西の朝野また憐むべしと云う外《ほか》なく候。正義と人道と平和のために、日本はソビエット露西亜に対する限り、もはや忍ぶ能わざるに立ち至り候。北満鉄道の爆破は天　日《ひ》の本《もと》の神々に凶悪残虐なる偽国家の誅伐《ちゅうばつ》を命じ給《たも》うものに御座候。中村大尉の虐殺と同一意味において凱旋将士の無惨なる横死は天　日本の対露誅伐を促してここに至りし儀と存候。日本は全世界の平和と秩序を攪乱し鬼畜にあらざればあえてせざる残虐凶悪の偽政府*6を地球上に存在せしむる能わざる者に御座候。ただ前年の西比利亜《シベリア》出師《すいし》*7にあらずといえども、彼の盲動の米国またこれを妨ぐるの恐れなしとせず。すなわちこの儀、欧洲より仏蘭西の積極的攻撃と相応じてすみやかに地獄の恐怖より全地球の平和安寧を擁護せざるべからず候。

実に為政者政柄を誤りてソビエット露西亜を承認せし以来、日本国内の共産者の蔓延ペストコレラのそれよりも甚しきを承知仕候。国家の恥にしてかつ国民に伝染することを怖るるがゆえに多くこれを秘するを以て施策とすといえども、もし日本の共産党を露国の指揮援助の下に放置すること、さらに一二年ならしめば国家と万世一系の安泰誰が保証し得べき。支那を攪乱し、朝鮮を攪乱し、天子の赤子《せきし》をしてその父に叛《そむ》かしむる悪魔を隣国に居らしめて交《まじわり》を結ぶとは何《なん》ぞ。帝国の尊厳と安泰とを来《きた》り脅かす者を伐《う》つにいずれの国かこれを妨ぐるを許るさんや。昔時熊襲《くまそ》の叛乱に悩まさるるや、その背後に存する三韓を降して帝国の平和を恢復《かいふく》したる事有之候。*8 修交国民を使嗾《しそう》指揮して不断の危害をその国家と元首とに加うる者の存する時、今の世界はこれに対して義憤を発するものなきまでに功利化しおわれるかと存候。日本は自己の正当なる防衛をなすとともに、全世界のために正義の師を動かし、以て打算を超越したる天地の大道を行かざるべからずと存候。もちろん仏蘭西が欧露において自由なる行動をなし得るごとく、三韓の領土は神功皇后の治下に併合せらるべきは言うまでもなき儀に御座候。

帝国の前途大光明と大危機とあり。カイゼルは四境を敵として帝冠を失い申候*9。

明治大帝陛下は臥薪嘗胆《がしんしょうたん》して秘かに同盟攻守の交を結びて一挙世界の大恐怖を撃破*10仕候。衰亡政策はもとより論外なりといえども、カイゼルの跡を追わんとするは戒しめざるべかざる儀に候。天の加護によりて日米相屠《ほふ》ることはわずかに免かれつつあり。今の時もっともすみやかに日仏同盟の一事を成就し、以て

明治大帝陛下の範に従うべき者にあらざるか。米国に対してといえども、戦わずして勝つを得ば、勝の上乗なる者と存候。日仏の攻守相結ばば対米の事対露の事、しかして、さらに対英の事、和戦そのいずれなるにせよ、あえて一喜一憂を要せざるべしと存上候。

閣下。言うは易《やさし》く行うは難し。不肖一輝《いっき》輩の言うは易くして、これを日仏の間に行う閣下等の難事なるは千万奉諒察候《りょうさつたてまつりそうろう》。

三千年の帝国まさに興亡を分たんとする時、切に御熱慮御断行の程、懇望に

堪えず。

野人礼を知らず直言虎威を犯す。

昭和七年四月十七日

泣訴百拝頓首々々。

【編集部註】

＊1　ミハイル・マルコヴィチ・ボロディン（一八八四〜一九五一）。コミンテルンの工作員として活躍し、一九二三〜二七年まで中国国民政府の顧問を務めるが、蔣介石《しょうかいせき》の上海クーデター（共産主義者の粛正）により罷免され帰国。

＊2　一般には国民政府。

＊3　その頃の国民政府は、蔣介石率いる南京国民政府と、汪兆銘《おうちょうめい》の広東国民政府とに分裂していた（一九三二年一月に統一）。

＊4　満州事変と上海事変のこと。

＊5　中国奉天郊外の柳条湖で関東軍と中国軍が衝突、満州事変が始まった日付。

＊6　ソビエト連邦政府のこと。

＊7　一九一八〜二二年、日本をはじめ英米仏などの諸国が、ロシア革命で成立したソビエト政権に干渉するために軍隊を派遣したシベリア出兵。

＊8　記紀神話に見える神功皇后の故事。『日本書紀』によると、仲哀天皇は熊襲討伐のために赴いた筑紫で、新羅を攻めよという神のお告げを聞くが信じなかったため急死する。同行していた神功皇后は新羅に出兵し、新羅だけでなく高句麗、百済にも朝貢を約束させたと書かれている。

＊9　ドイツ皇帝ウィルヘルム二世が第一次世界大戦に敗れて退位し、ドイツが共和制に移行したことを指す。

＊10　日清戦争後、ロシアなど三国の干渉を受けて遼東半島を返還したが、その後、日英同盟を結び、日露戦争でロシアに勝利したことを指す。

解説

嘉戸一将

『日本改造法案大綱』は奇異な書である。まず何よりも、この書を奇異たらしめているのは、この書のために北一輝がたどった運命だろう。すなわち、二・二六事件を惹《ひ》き起した将校たちに、この書が理念を提供したと見なされ、そのため北は一九三七年八月一九日に銃殺刑に処される。実際には、「法案」を忠実に実行しようとしたのは、一部の将校だけだったとも言われるが、将校たちを「蹶起《けっき》」に駆り立てた理由がこの書に見出されたのである。とはいえ、北が「蹶起」を支持していたのも事実で、彼は憲兵隊での聴取（一九三六年三月六日）において「蹶起」があくまでも「正義」だったと述べている。いずれにせよ、憲法で言論の自由が保障された（大日本帝国憲法第二九条）社会において、銃殺刑に値《あたい》する書物とは、いったい、どんな書物なのか。

第二に、この書に示された「改造」が戦後改革を先取りするものであり、北はいわば日本的民主主義の殉教者だったとする見方が存在することである。すなわち、例えば、北は明治維新後の日本が「天皇を政治的中心としたる近代的民主国なり」（本書、一六頁）と言うが、天皇を「中心」と表現する言表は、現行憲法の草案審議過程で、「象徴」に対する代案としてしばしば見られる。では、この書が想定する「改造」後の日本とは現行憲法体制のようなものだったのだろうか。あるいは、この書は一種の預言書だったとでもいうのだろうか。

第三に、このようにこの書が明治憲法体制と鋭い緊張関係を切り結び、現行憲法体制との関係を読者に読み込ませたくなるようなものであるにもかかわらず、この書は日本近代史のひとつの出来事として扱われることはあっても、国家論や憲法論としては無視、あるいはせいぜい等閑視されてきたことである。北自身は、当時の名だたる憲法学者たちを論敵として想定し、当時の最新の西洋思想で理論武装し（ただし、彼なりの独特な理解の仕方で）、しかも少なからぬ知識人たちとの交流があったにもかかわらず、この書のみならず、彼の書はアカデミズムの世界に位置づけられることはない。その理由を、彼の経歴や文体に求めることは容易にできる。あるいは思想内在的に言えば、彼の書には理論的な飛躍や迷走、学問的には荒唐無稽と言わざるをえないものも多々見出せる。したがって、彼の書をアカデミックに位置づけるのは困難であろうし、またその必要もないのかもしれない。しかし、では、銃殺刑に値する書物、預言書扱いするように誘惑する書物を、私たちはどのように扱うべきなのだろうか。私たちはそこに何を読むべきなのだろうか。

一、『日本改造法案大綱』の著者としての北一輝

ここでは、伝記を書くためのエピソード、逸話に事欠かない北一輝の生涯を

振り返る余裕はない。そこで、『日本改造法案大綱』を理解するのに必要な限りで、北一輝という人物について簡単に確認しておこう。

北は、一八八三年四月三日（一六日とする説もある）、新潟県加茂郡湊町《みなとまち》（現・佐渡市）に、酒造業・海産物問屋を営む父慶太郎と母リクの長男として生れ、輝次《てるじ》と名づけられた。出生地が彼の思考を決定づけたとは言えないが、現行憲法のみならず、敗戦後の改革論議が地方自治の強化による民主化を掲げたのに対して、北には労働者への強い関心が認められるものの、地方、とりわけ農村部に対する関心が驚くほど希薄だったことは、彼の思考の特徴として把握しておいても良いだろう。

湊町は佐渡における漁業の拠点のひとつともされた港町であり、佐渡の表玄関とも称され、しかも佐渡は江戸時代には西廻海運の寄港地として繁栄した地域でもある。一方、日本では本格的な産業主義化が一八八〇年代後半に始まり、それとともに都市と地方との格差が生じ、にもかかわらず政府は教育勅語や戊《ぼ》申詔書《しんしょうしょ》などの精神論でもっぱら対処するだけで、物理的な是正に取り組まなかったのは周知のとおりである。

やがて、第一次世界大戦後の不況、世界恐慌による不況はますます地方の窮乏化を助長し、一九三四年の東北での冷害が地方を追い詰める。一九三二年の五・一五事件は、反都市・反中央集権主義・反資本主義を主張する農本主義に触発されたとも言われるが、二・二六事件の背景にも地方問題、とりわけ冷害による困窮問題があったのは言うまでもない。超国家主義者として知られる権《ごん》藤成卿《どうせいきょう》（一八六八～一九三七）の「社稷《しゃしょく》自治論」は、まさにこの地方問題を一種の地方自治によって克服することを構想するものだった。

北は産業主義化により社会が分化していく時代にあって、何を見ていたのだろう。二・二六事件後の聴取を見る限り、北は将校たちの「蹶起」の動機のひとつが地方問題にあり、少なくとも一部の将校が北の言う「改造」にその解決策を見ていたのを認識していたにもかかわらず、その動機にシンパシーを示していない。北の関心は地方問題にはなかったと言って良いだろう。北の関心は、国家の経営にあった。しかも、文字通り一体のものとしての国家の経営にあった。だからこそ、北は政治家や資本家、あるいは国家の何たるかを語る憲法学者たちを敵と見なした。どのような意味で、彼らを敵と見なしたのか。もうしばらく、そこにいたるまでの道のりを辿ろう。

一八八九年、明治憲法が発布された年に、父慶太郎は湊町長となり、さらに一九〇一年に湊町が両津《りょうつ》町として統合されると、初代町長となる。地方名望家と言って良いだろう。一八八九年に施行された市制・町村制は、ドイツの名望家自治をモデルにした地方制度であり、その意味において地方名望家は国家の組織化の担い手だった。

ところで、北自身はこの頃、苦境にあった。一八九一年、眼病を患い尋常小学校を一年休学し、中学校進学後もこの眼病に悩まされ、やがて退学し入院生活を余儀なくされるも、結局右眼失明となる。制度的な教育による文化資本の獲得、さらにはエリートへの道を断たれた北は、独学による補完を試みる。すなわち、一九〇一年以来、たびたび上京し、早稲田大学で聴講し、帝国図書館に通う。このとき、彼が熱心に学んだのが、社会進化論や社会主義思想だった。とりわけ、幸徳秋水《こうとくしゅうすい》らに傾倒し、彼らが平民社を設立すると、『平民新聞』を数十部取り寄せ、郷里の知人に配ったという。

とはいえ、北は『佐渡新聞』に皇室批判の論説を寄稿する一方で、日露戦争に際しては、幸徳秋水らの非戦論を批判し開戦を支持する論文を発表する。つまり、社会主義者を自任しながらも、独自の思考を展開することになるのである。そうして結実したのが、彼の代表的な著作『国体論及び純正社会主義』である。彼はこれを一九〇六年五月九日に自費出版するが、五月一四日には発禁処分となる。この時期に発禁処分になっていることは注目しておいて良いだろう。というのも、同年一月に成立した第一次西園寺《さいおんじ》公望《きんもち》内閣は、同月に提出された日本社会党の結党届を受理しており、幸徳秋水の直接行動論により同党が分裂したのを契機に結社禁止が命令されたのは翌年のことだからだ。つまり、北の『国体論及び純正社会主義』は社会主義思想に容認された領域を超え出たことになる。いったい、何が一線を越えたのか。

『国体論及び純正社会主義』が掲げたのは、普通選挙制度に基づく議会による革命である。この点は、当時の社会主義的言説としては平凡なものであり、それが危険視されたとは到底考えられない。この書の特質は、むしろそれが論敵として挙げるすべての立場に「国体論」というレッテルを張り、それらを徹底的に罵《ののし》っているところにある。では、「国体」とは何か。一般には、悪法として名高い治安維持法の第一条や、一九三五年の天皇機関説事件後の国体明徴声明などで知られ、皇統が「万世一系」であることや天皇が主権者であることなどを指す。

そもそもこの語を、天皇が君臨する日本固有の国制を意味する言葉として明治憲法体制に持ち込んだのは、憲法学者の穂積八束《ほづみやつか》（一八六〇〜一九一二）だった。穂積は、明治憲法の絶対主義的解釈を提唱し、その際ルイ一四世に帰せられるフォーミュラ「朕《ちん》は国家なり」を法理の至言と評し、ちょうど絶対主義の法理論が王権神授や「神の似姿」としての君主といった擬制に依拠したように、皇統の神的起源に関する言説を明治憲法の正統性として動員したことで知られる。

こうした天皇主権説を北は「国体論」として批判し、神話的・非科学的国家論として斥《しりぞ》ける。穂積の学説は、北による批判を待つまでもなく、すでに有賀《あるが》長雄《ながお》（一八六〇〜一九二一）の天皇機関説によって批判されていた。こうした論戦は決して真新しいものではない。というのも、絶対主義的な国家論を国家有機体説や、のちには国家法人説によって批判し民主化を促すという構図は、一九世紀ドイツにおいて確立されていたからであり、この点において北の穂積批判は何ら新しくもなければ危険でもないのである。

『国体論及び純正社会主義』の特質は、穂積の絶対主義的解釈をいち早く批判した有賀の天皇機関説をも天皇主権説として批判したことにある。何故、北は有賀をも斥けたのか。表層的には、北が信奉したのが社会主義である以上、天皇機関説でさえ受け入れがたかったからだと言える。しかしより重要なのは、先に述べたように、北のこの書が当時の社会主義思想に容認された領域を超え出ていた部分であり、その部分こそが天皇機関説による民主化をも不満としたのである。それが物理的実在としての有機体の国家である。どういうことか。

国家有機体説にせよ、国家法人説にせよ、擬制である。それに対し北は、有機体としての国家は物理的実在だという。つまり、擬制によって天皇権力を制限・拘束する必要などなく、現に国家は諸個人が有機体として一体化している以上、もはや代表や機関などといった擬制によってもたらされる法的概念自体が不要だということだ。

ここにおいて、この書は理解しがたいものとなる。あらゆる法秩序には、その法の正統性を支える擬制が必要だと思われるのだが、国家の科学者を自任する北（実際には「科学主義者」、さらに言えば「疑似科学信奉者」と言わざるをえないのだが）は、擬制を排除しようとする。少なくとも、法に関する知が必ず要請する存在と当為との区別を抹消する。ところが、そのために北の国家論もまた神話に堕するのである。すなわち、人類の「神類」への「進化」という神話である。

北が信奉する物理的実在としての有機体の国家は、「神類」となり、コミュニケートしなくとも意思疎通ができる状態、要するに個が全体へと解消された状態を最終形態としており、その途上にある限りにおいて擬制ではないのである。そこにはもはや個人などというものはなく、個人は融解し一体となる。荒唐無稽な神話だと言わざるをえないが、神話であるからこそ発禁処分となったのではないだろうか。当時の最新の知を合成してできあがった神話としての国家論であったからこそ、「国体論」と対峙し、「国体」の変革を目的とした結社を禁ずる（治安維持法）必要がまだなかった当時の政府、あるいは「国体」を殊更《ことさら》「明徴」する必要がまだなかった政府をもってしても、これを危険視したのではないか。

いずれにせよ、北はこの書によって警察の監視下に置かれることになり、在野の活動家・思想家として生きることになる。すなわち、ひとまず関心を日本の革命から隣国の革命へと移し、中国の革命を支援した革命評論社や、アジア主義を掲げた国家主義的団体の黒龍会と深く関わり、一九一一年から一九一三年と一九一六年から一九一九年の二度にわたり、上海に滞在し活動する。そして、その経験から得た知見をもとにまとめられたのが、『国家改造案原理大綱』であり、北の関心は再び日本の革命へと向けられたのである。一九一九年秋に四七部が秘密頒布され、翌年一月にはあらためて発売頒布されるが、即座に出版法違反となる。

この書は、社会主義から国家社会主義への「転向」、すなわち左から右への「転向」をなすものとしてしばしば評されるが、少なくとも革命の現実を目の当たりにして、議会による社会主義革命を断念して、軍隊主導の暴力革命を主張することになったのは間違いない。この『国家改造案原理大綱』は、一九二三年五月、一部削除の上、『日本改造法案大綱』とタイトルを改めて改造社から出版された。

二、『日本改造法案大綱』について

『日本改造法案大綱』は『国体論及び純正社会主義』と異なり簡潔なものであり、そのことは、議会主義的な革命のための論議を惹起することを意図した大部な後者とは異なる狙いが前者にはあるのではないかと思わせるが、とにかくここではいくつかの論点を呈示し、この奇異な書を俎上《そじょう》に載せるための導入としたい。

この書を一読してまず気付くことは、「註」の内容が特殊であることだろう。それらは必ずしも「改造」の正統性を言い尽したものではなく、むしろ「法案」をただ信じよと迫ってくる。北自身はこの点について、「凡例」において次のように述べている。

「註」はもとより説明解釈を目的とせるも、語辞ことごとく簡単明瞭、時にはただ結論のみを綴《つづ》りし者あり。第二十世紀の人類は聡明と情意を増進して「然《しか》り然り」「否《い》な否な」にて足《た》る者ならざるべからず。現代世界を展開せしめたる三大発明の中火薬が人類を殺すよりも甚《はなはだ》しく、印刷術の害毒全世界の頭脳を朽蝕腐爛《きゆうしょくふらん》し尽《つ》くせり。（中略）日本改造法案の起草者は当然に革命的大帝国建設の一実行者たらざるを得《え》ず。従ってそれが左傾するにせよ右傾するにせよ前世紀的頭脳よりする是非善悪に対して応答を免除されんことを期《き》す。恐らくは閑暇なし。（本書、一〇頁）

要するに、論旨をはっきりさせるために必要最小限の「註」を付したが、論議するために供したのではない、ただ「改造」を実行せよ、ということだ。法学が西洋の解釈学的伝統に育まれたことを想起すると、解釈論議を拒否することは、この「法案」という名に反した根本的な矛盾だと言わざるをえない。

何故、北がこのような矛盾に陥ったのかは、ここでは問うまい。ただ、北が論議することを一九世紀の自由主義的・議会主義的イデオロギーの「害悪」と呼ぶのなら、この矛盾が、主権者の形像を決断者に求めた二〇世紀の法論・政治論と同じく、迅速な行動を要求する産業主義的競争の時代の全体主義的なイデオロギーの帰結だということ、そして民族的起源という神話の探求とその再現という幻影に取りつかれたナショナリズムの時代の原理主義の一種だということを確認しておこう。北が経済的格差の是正による平等原理の実現と民主化を「改造」と呼び、これを目指したのなら、おそらくは、多様化した利害を民主的に論議するための「閑暇」こそが必要だった。

　では、北の性急さは「転向」を意味するのだろうか。辛亥革命後の混乱を目《ま》の当たりにした北が、人類の「神類」への「進化」を待てなくなったのは間違いない。しかし、そのことは彼の国家観の変質を意味するのではない。まずは「法案」の社会主義的要素を見ておこう。

「法案」は皇室財産の処分や私有財産の制限、土地所有の制限、企業の資本金限度額などを掲げている。皇室財産処分の問題に関して言えば、北が皇室の本質を土地支配に基づく政治的権力ではなく土地支配に依存しない精神的権威に見出していたこと、また私有財産の制限などに関して言えば、「一家」につき「一百万円」を限度としており（本書、二七頁）、これは今の三〇億円程度に相当すること、土地所有の制限にしても今の三億円程度を限度としていること、企業の資本金にしても今の三〇〇億円程度を限度としていることなどを、『国体論及び純正社会主義』が天皇制を徹底的に批判し、さらに一切の財産の公有制を主張していたことと対照すると、「法案」の「転向」について語りたくなる。

しかし、北自身によると「私有財産を尊重せざる社会主義は、（中略）原始的共産時代の回顧」（本書、二八頁）にすぎず、「法案」の主張する社会主義は「私有財産の確立せる近代革命の個人主義民主主義の進化を継承せる者」（本書、二八頁）だった。しかも、私有財産や土地所有、資本金などの制限に関する違反者には、戒厳令施行中は死刑が課されるのである（本書、二九、三七、四七頁）。したがって、北の「転向」や現実への妥協などといった評価を下すことは、「法案」を読むうえであまり重要ではないだろう。むしろ北の性急さに、国家の法外な権力を見るべきだろう。

この法外な権力は、とりわけ行政権の偏重にも窺える。その点は、「巻四大資本の国家統一」（とりわけ、本書、五一頁以下）にも示されているが、興味深いのは、権利保護の役割が行政機関に委ねられている点である（本書、六〇頁以下）。しかも、他方で、行政機関・官吏に対する強い不信感も述べられている（本書、八七頁以下）。敗戦後の改革論議において、戦時期の強権的な体制を克服するために、司法権の拡充による権利保護が構想されたが、北の場合、行政機関への不信感にもかかわらず、行政権の一層の強化を主張するという矛盾を犯すのである。

この矛盾を理解する手がかりは、「巻七　朝鮮その他現在及び将来の領土の改造方針」にあるのかもしれない。すなわち、北はここで、内地と植民地とを区別しないという同化主義的な植民地政策を主張するのである。図式的に言えば、この同化主義は天皇主権説の立場だった。つまり北は、最大の論敵として想定した明治憲法の絶対主義的な解釈と同じ立場をとったのである。

ところで、天皇主権説が依拠したのはドイツの新絶対主義だったが、一九世紀末当時、植民地獲得競争においてイギリスやフランスなどに対して後《おく》れをとっていたドイツでは、強大な君主権力によって挽回を図ることを主張する新絶対主義が現れる。これに対して、民主化が時代の趨勢であると批判したのが国家法人説であり、日本ではこれに依拠した天皇機関説が提唱された。北の『国体論及び純正社会主義』は、まず天皇主権説を徹底的に罵り、さらに天皇機関説に対してすら民主化の理論として不十分だとしていたのだが、「法案」の植民地政策は天皇主権説と同じ立場をとっている。北は民主化を断念したのだろうか。

たしかに、「改造」は天皇大権による「憲法停止」と戒厳令によって着手されるべく構想されているが（本書、一二一～一二三頁）、それは決して民主化の断念を意味するのではない。そのことは「巻一　国民の天皇」の諸規定（華族制度の廃止や普通選挙制度の導入、自由権の保障など）にも窺えるが、次の一節が鍵だと言って良いだろう。「日本の改造においては必ず国民の団集と元首との合体による権力発動たらざるべからず」（本書、一四頁）。つまり、やはり『国体論及び純正社会主義』と同じく、ここでも諸個人は全体へと融解し天皇とともに、文字通り一体となっているのである。だからこそ、一体となることを拒否する（財産制限など「法案」が掲げる平準化を拒む）者は、処刑される。したがって、強大な国家権力は一体となった国民自身の権力なのである。

この一体となった国家という北独特の国家観について、北は「日本国民本有の国家有機体的信仰」（本書、一二一頁）であると言う。この国家観は、『国体論及び純正社会主義』では「神類」への進化という彼の夢想を投影したものだったが、「法案」ではより現実的な効果が期待されている。それが徴兵制の正当化である。つまり、国家が一体となった国民によって構成されている以上、その国家が主体となって遂行する戦争は国民全体によって担われるということだ。しかも、北の有機体説の特殊性は、「法案」でより一層明瞭になっているとも言える。

一般に、国家有機体説の効果が君主制と民主化要求の対立を止揚することに求められたのに対して、北が自身の有機体説について語っている「巻八　国家の権利」は、国家が徴兵制を維持する「権利」と戦争を行う「権利」しか述べていない。この点は、第一次世界大戦直後にあって、世界戦争の時代への処方箋として彼なりの総動員体制を構想したものと見ることもできるが（北の世界戦争への関心は、本書の附録「対外国策に関する建白書」〈一九三二年〉により明白に表れている）、彼の国家観がいかに特殊であるかを示すものとして看過できない。

北が向き合った問題は、近代という時代の問題だった。国内においては、産業主義の受容によって社会階層や格差が誕生し、国際関係においては、全世界が産業主義のもたらした競争と戦争に突入した。北はこうした問題にどう対処すべきかを思考し、未だに決着がついていないこの大きな問題に結論を下す。すなわち、「神類」への進化という特殊な信仰にもとづいた社会主義革命や、議論を止めて一体となった国民が「改造」を決断することである。

たしかに、それらは奇異なもので、法学や政治学の学説史の一齣となるようなものではない。しかし、それらによって、私たちの近代という時代がどんな時代であるかを再認識し、のみならず北の性急さが時代の宿痾であることをあらためて知る。北のこの奇異な書を読むことを通して、神話や決断に依存することなく、脱魔術化の時代を根気強く考え抜くことが試されるのである。

（龍谷大学文学部准教授）

「日本改造法案大綱」は一九二三年改造社刊を、「対外国策に関する建白書」は一九三七年内海文宏堂刊『増補支那革命外史』所収を底本としました。また、今日の読者に読みやすくするため表記は新字新仮名遣いとし、一部の漢字を仮名に直し、適宜句読点を振り、明らかな誤字誤植と思われるものは改めました。本文中、現在では差別的と思われる表現がありますが、本文のテーマや著者が物故していることに鑑み、そのままとしました。

中公文庫

日本改造法案大綱《にほんかいぞうほうあんたいこう》

2014年11月25日　初版発行
2021年 6 月10日　再版発行

著　者　北《きた》　一《いっ》　輝《き》

発行者　松 田 陽 三

発行所　中央公論新社
〒100-8152　東京都千代田区大手町1-7-1
電話　販売　03-5299-1730　編集　03-5299-1890
URL http://www.chuko.co.jp/

ＤＴＰ　平面惑星
印　刷　三晃印刷
製　本　小泉製本

Published by CHUOKORON-SHINSHA, INC.
Printed in Japan　ISBN978-4-12-206044-9 C1121

中公文庫既刊より

各書目の下段の数字はISBNコードです。978-4-12が省略してあります。

あ-1-1
アーロン収容所
会田雄次
ビルマ英軍収容所に強制労働の日々を送った歴史家の鋭利な観察と筆。西欧観を一変させ、今日の日本人論ブームを誘発させた名著。〈解説〉村上兵衛
200046-9

あ-89-1
海軍基本戦術
秋山真之
戸髙一成 編
丁字戦法、乙字戦法の全容が明らかに！　日本海海戦を勝利に導いた名参謀による幻の戦術論が甦る。本巻は同海戦の戦例を引いた最も名高い戦術論を収録。
206764-6

あ-89-2
海軍応用戦術／海軍戦務
秋山真之
戸髙一成 編
海軍の近代化の基礎を築いた名参謀による組織論。巨大組織を効率的に運用するためのマニュアルが明らかに。前巻に続き「応用戦術」の他「海軍戦務」を収録。
206776-9

い-10-2
外交官の一生
石射猪太郎
日中戦争勃発時、東亜局長として軍部の専横に抗し、戦争終結への道を求め続けた著者が自らの日記をもとに綴った第一級の外交記録。〈解説〉加藤陽子
206160-6

い-13-5
生きている兵隊（伏字復元版）
石川達三
戦時の兵士のすがたと心理を生々しく描き、そのリアリティ故に伏字とされ発表された、戦争文学の傑作。伏字部分に傍線をつけた、完全復刻版。
203457-0

い-16-5
城下の人　新編・石光真清の手記㈠　西南戦争・日清戦争
石光真清
石光真人 編
明治元年に生まれ、日清・日露戦争に従軍し、満州やシベリアで諜報活動に従事した陸軍将校の手記四部作。新発見史料と共に新たな装いで復活。
206481-2

い-16-6
曠野の花　新編・石光真清の手記㈡　義和団事件
石光真清
石光真人 編
明治三十二年、ロシアの進出著しい満洲に、諜報活動に従事すべく入った石光陸軍大尉。そこで出会った中国人馬賊やその日本人妻との交流を綴る。
206500-0

い-16-7
望郷の歌　新編・石光真清の手記㈢　日露戦争
石光真清
石光真人 編
日露開戦。石光陸軍少佐は第二軍司令部付副官として出征。終戦後も大陸への夢醒めず、幾度かの事業失敗を経てついに海賊稼業へ。そして明治の終焉。
206527-7

い-16-8
誰のために　新編・石光真清の手記㈣　ロシア革命
石光真清
石光真人 編
引退していた石光元陸軍少佐は「大地の夢」さめがたく再び大陸に赴く。そしてロシア革命が勃発した。近代日本を裏側から支えた一軍人の手記、完結。
206542-0

い-61-2
最終戦争論
石原莞爾
戦争術発達の極点に絶対平和が到来する。戦史研究と日蓮信仰を背景にした石原莞爾の特異な予見は、日本を満州事変へと駆り立てた。〈解説〉松本健一
203898-1

い-61-3
戦争史大観
石原莞爾
使命感過多なナショナリストの魂と冷徹なリアリストの眼をもつ石原莞爾。真骨頂を示す軍事学論・戦争史観・思索史的自叙伝を収録。〈解説〉佐高　信
204013-7

い-65-2
軍国日本の興亡　日清戦争から日中戦争へ
猪木正道
日清・日露戦争に勝利した日本は軍国主義化し、国際的に孤立した。軍部の独走を許し国家の自爆に至った経緯を詳説する。著者の回想「軍国日本に生きる」を併録。
207013-4

い-122-1
プロパガンダ戦史
池田徳眞
両大戦時、熾烈に展開されたプロパガンダ作戦は各国でどのような特徴があったか。外務省で最前線にあった著者による今日に通じる分析。〈解説〉佐藤　優
206144-6

い-123-1
獄中手記
磯部浅一
「陛下何という御失政でありますか」。貧富の格差に憤り国家改造を目指して蹶起した二・二六事件の主謀者が綴った叫び。未刊行史料収録。〈解説〉筒井清忠
206230-6

い-130-1
幽囚回顧録
今村　均
部下と命運を共にしたいと南方の刑務所に戻った「聖将」が、理不尽な裁判に抵抗しながら、太平洋戦争を顧みる。巻末に伊藤正徳によるエッセイを収録。
206690-8

各書目の下段の数字はISBNコードです。978－4－12が省略してあります。

い-131-1
真珠湾までの経緯
海軍軍務局大佐が語る開戦の真相
石川 信吾

太平洋戦争へのシナリオを描いたとされる海軍軍人が語る日米開戦秘話。日独伊三国同盟を支持し対米強硬を貫いた背景を検証。初文庫化。〈解説〉戸高一成

206795-0

お-2-11
ミンドロ島ふたたび
大岡 昇平

自らの生と死との彷徨の跡。亡き戦友への追慕と鎮魂の情をこめて、詩情ゆたかに戦場の島を描く。『俘虜記』の舞台、ミンドロ、レイテへの旅。〈解説〉湯川　豊

206272-6

お-2-13
レイテ戦記（一）
大岡 昇平

太平洋戦争の天王山・レイテ島での死闘を再現した戦記文学の金字塔。巻末に講演「『レイテ戦記』の意図」を付す。毎日芸術賞受賞。〈解説〉大江健三郎

206576-5

お-2-14
レイテ戦記（二）
大岡 昇平

リモン峠で戦った第一師団の歩兵は、日本の歴史自身と戦っていたのである――インタビュー「『レイテ戦記』を語る」を収録。〈解説〉加賀乙彦

206580-2

お-2-15
レイテ戦記（三）
大岡 昇平

マッカーサー大将がレイテ戦終結を宣言後も、徹底抗戦を続ける日本軍。大西巨人との対談「戦争・文学・人間」を巻末に新収録。〈解説〉菅野昭正

206595-6

お-2-16
レイテ戦記（四）
大岡 昇平

太平洋戦争最悪の戦場を鎮魂の祈りを込め描く著者渾身の巨篇。巻末に「連載後記」、エッセイ「『レイテ戦記』を直す」を新たに付す。〈解説〉加藤陽子

206610-6

お-19-2
岡田啓介回顧録
岡田 啓介
岡田貞寛 編

日清・日露戦争に従軍し、条約派として軍縮を推進、二・二六事件で襲撃され、戦争末期に和平工作に従事した海軍高官が語る大日本帝国の興亡。〈解説〉戸高一成

206074-6

お-47-3
復興亜細亜の諸問題・新亜細亜小論
大川 周明

チベット、中央アジア、中東。今なお紛争の火種となっている地域を「東亜の論客」が第一次世界大戦後の〈復興〉という視点から分析、提言する。〈解説〉大塚健洋

206250-4

き-13-2
秘録 東京裁判
清瀬 一郎
弁護団の中心人物であった著者が、文明の名のもとに行われた戦争裁判の実態を活写する迫真のドキュメント。ポツダム宣言と玉音放送の全文を収録。
204062-5

さ-4-2
回顧七十年
斎藤 隆夫
陸軍を中心とする革新派が台頭する昭和十年代、「粛軍演説」等で「現状維持」を訴え、除名されても信念を曲げなかった議会政治家の自伝。〈解説〉伊藤 隆
206013-5

さ-27-3
妻たちの二・二六事件 新装版
澤地 久枝
〝至誠〟に殉じた二・二六事件の若き将校たち。彼らへの愛を秘めて激動の昭和を生きた妻たちの三十五年をたどる、感動のドキュメント。〈解説〉中田整一
206499-7

さ-72-1
肉弾 旅順実戦記
櫻井 忠温
日露戦争の最大の激戦を一将校が描く実戦記。各国で翻訳され世界的ベストセラーとなった名著を百余年を経て新字新仮名で初文庫化。〈解説〉長山靖生
206220-7

し-5-2
外交五十年
幣原喜重郎
戦前、「幣原外交」とよばれる国際協調政策を推進した外交官であり、戦後、新憲法に軍備放棄を盛り込むことを進言した総理が綴る外交秘史。〈解説〉筒井清忠
206109-5

し-10-5
新編 特攻体験と戦後
島尾 敏雄
吉田 満
戦艦大和からの生還、震洋特攻隊隊長という極限の実体験とそれぞれの思いを二人の作家が語り合う。関連するエッセイを加えた新編増補版。〈解説〉加藤典洋
205984-9

し-31-5
海軍随筆
獅子 文六
海軍兵学校や予科練などを訪れ、生徒や士官の人柄に触れ、共感をこめて歴史を繙く「海軍」秘話の数々。小説『海軍』につづく渾身の随筆集。〈解説〉川村 湊
206000-5

し-45-1
外交回想録
重光 葵
駐ソ・駐英大使等として第二次大戦への日本参戦を阻止するべく心血を注ぐが果たせず。日米開戦直前まで約三十年の貴重な日本外交の記録。〈解説〉筒井清忠
205515-5

各書目の下段の数字はISBNコードです。978－4－12が省略してあります。

し-45-2
昭和の動乱（上）
重光　葵
重光葵元外相が巣鴨獄中で書いた、貴重な昭和の外交記録である。上巻は満州事変から宇垣内閣が流産するまでの経緯を世界的視野に立って描く。
203918-6

し-45-3
昭和の動乱（下）
重光　葵
重光葵元外相は巣鴨に於いて新たに取材をし、この記録を書いた。下巻は終戦工作からポツダム宣言受諾、降伏文書調印に至るまでを描く。〈解説〉牛村　圭
203919-3

す-26-1
私の昭和史（上）二・二六事件異聞
末松太平
陸軍「青年将校グループ」の中心人物であった著者が、実体験のみを客観的に綴った貴重な記録。上巻は大岸頼好との出会いから相沢事件の直前までを収録。
205761-6

す-26-2
私の昭和史（下）二・二六事件異聞
末松太平
二・二六事件の、結果だけでなく全過程を把握する手だてとなる昭和史第一級資料。下巻は相沢事件前後から裁判の判決、大岸頼好との別れまでを収録。
205762-3

た-7-2
敗戦日記
高見　順
〝最後の文士〟として昭和という時代を見つめ続けた著者の戦時中の記録。日記文学の最高峰であり昭和史の一級資料。昭和二十年の元日から大晦日までを収録。
204560-6

た-73-1
沖縄の島守　内務官僚かく戦えり
田村洋三
四人に一人が死んだ沖縄戦。県民の犠牲を最小限に止めるべく命がけで戦い殉職し、今もなお「島守の神」として尊敬される二人の官僚がいた。〈解説〉湯川　豊
204714-3

つ-10-7
いっさい夢にござ候　本間雅晴中将伝
角田房子
その死は「バターン死の行進」の報いか、マッカーサーの復讐か。マニラで戦犯として刑死した、理性的で情に厚い〝悲劇の将軍〟の生涯を描く。〈解説〉野村　進
206115-6

と-18-1
失敗の本質　日本軍の組織論的研究
戸部良一／寺本義也／鎌田伸一／杉之尾孝生／村井友秀／野中郁次郎
大東亜戦争での諸作戦の失敗を、組織としての日本軍の失敗ととらえ直し、これを現代の組織一般にとっての教訓とした戦史の初めての社会科学的分析。
201833-4

と-28-1
夢声戦争日記抄 敗戦の記
徳川夢声
活動写真弁士を皮切りに漫談家、俳優としてテレビ・ラジオで活躍したマルチ人間、徳川夢声が太平洋戦争中に綴った貴重な日録。〈解説〉水木しげる
203921-6

と-28-2
夢声戦中日記
徳川夢声
花形弁士から映画俳優に転じ、子役時代の高峰秀子らと共演した名優が、真珠湾攻撃から東京大空襲に到る三年半の日々を克明に綴った記録。〈解説〉濱田研吾
206154-5

と-31-1
大本営発表の真相史 元報道部員の証言
冨永謙吾
「虚報」の代名詞として使われ、非難と嘲笑を受け続ける大本営発表。その舞台裏を、当事者だった著者が関係資料を駆使して分析する。〈解説〉辻田真佐憲
206410-2

と-32-1
最後の帝国海軍 軍令部総長の証言
豊田副武《そえむ》
山本五十六戦死後に連合艦隊司令長官をつとめ、最後の軍令部総長として沖縄作戦を命令した海軍大将が残した手記、67年ぶりの復刊。〈解説〉戸高一成
206436-2

と-35-1
開戦と終戦 帝国海軍作戦部長の手記
富岡定俊
作戦課長として対米開戦に立ち会い、作戦部長として戦艦大和水上特攻に関わった軍人が、日本海軍の作戦立案や組織の有り様を語る。〈解説〉戸高一成
206613-7

に-16-1
國破れてマッカーサー
西鋭夫
永久平和と民主主義なる甘い言葉と引き換えに日本人の「誇り」を扼殺し、憲法第九条の中に埋葬したマ元帥。その占領政策を米側の極秘資料を駆使して解明。
204556-9

の-3-13
戦争童話集
野坂昭如
戦後を放浪しつづける著者が、戦争の悲惨な極限に生まれえた非現実の愛とその終わりを「八月十五日」に集約して描く、万人のための、鎮魂の童話集。
204165-3

の-3-15
新編「終戦日記」を読む
野坂昭如
空襲、原爆、玉音放送……あの夏の日、日本人は何を思ったか。文人・政治家の日記を渉猟し、自らの体験を綴る。戦争随筆十三篇を増補。〈解説〉村上玄一
206910-7

コード	タイトル	サブタイトル	著者	内容紹介	ISBN下4桁
の-16-1	慟哭の海	戦艦大和死闘の記録	能村 次郎	世界最強を誇った帝国海軍の軍艦は、太平洋戦争を通じてわずか二度の出撃で轟沈した。生還した大和副長が生々しく綴った手記。〈解説〉戸高一成	206400-3
は-68-1	大東亜戦争肯定論		林 房雄	戦争を賛美する暴論か? 敗戦恐怖症を克服する叡智の書か?「中央公論」誌上発表から半世紀、当時の論壇を震撼させた禁断の論考の真価を問う。〈解説〉保阪正康	206040-1
ふ-18-5	流れる星は生きている		藤原 てい	昭和二十年八月、ソ連参戦の夜、夫と引き裂かれた妻と愛児三人の壮絶なる脱出行が始まった。敗戦下の苦難に耐え生き抜いた一人の女性の厳粛な記録。	204063-2
ほ-1-1	陸軍省軍務局と日米開戦		保阪 正康	選択は一つ――大陸撤兵か対米英戦争か。東条内閣成立から開戦に至る二ヵ月間を、陸軍の政治的中枢である軍務局首脳の動向を通して克明に追求する。	201625-5
ほ-1-18	昭和史の大河を往く5 最強師団の宿命		保阪 正康	屯田兵を母体とし、日露戦争から太平洋戦争まで、常に危険な地域へ派兵されてきた旭川第七師団の歴史を俯瞰し、大本営参謀本部の戦略の欠如を明らかにする。	205994-8
や-59-1	沖縄決戦	高級参謀の手記	八原 博通	戦没者は軍人・民間人合わせて約20万人。壮絶な沖縄戦の全貌を、第三十二軍司令部唯一の生き残りである著者が余さず綴った渾身の記録。〈解説〉戸部良一	206118-7
よ-38-1	検証 戦争責任(上)		読売新聞戦争責任検証委員会	誰が、いつ、どのように誤ったのか。あの戦争を日本人自らの手で検証し、次世代へつなげる試みに記者たちが挑む。上巻では、さまざまな要因をテーマ別に検証する。	205161-4
よ-38-2	検証 戦争責任(下)		読売新聞戦争責任検証委員会	無謀な戦線拡大を続けた日中戦争から、戦後の東京裁判まで、時系列にそって戦争を検証。上巻のテーマ別検証もふまえて最終総括を行う。日本人は何を学んだか。	205177-5

各書目の下段の数字はISBNコードです。978-4-12が省略してあります。